ANNABELLE
BOYER

Je lis
en vous...
savez-vous
lire en moi ?

Synergologie : analyse du non-verbal

BÉLIVEAU
éditeur

Conception et réalisation de la couverture : Christian Campana
Photographie de la couverture : Daphné Caron
Photographies à l'intérieur du livre : Jacques Turcot
Modèles : Martin Guitard, Nathalie Guérin, Annabelle Boyer, Simon Boisclair,
Sara Boisclair

Dépôt légal : 3e trimestre 2013
Bibliothèque et Archives nationales du Québec
Bibliothèque et Archives Canada

ISBN 978-2-89092-578-6

920, rue Jean-Neveu
Longueuil (Québec) Canada J4G 2M1
514-253-0403 - Télécopieur : 450-679-6648
www.beliveauediteur.com
admin@beliveauediteur.com

Gouvernement du Québec – Programme de crédit d'impôt pour l'édition de livres –
Gestion SODEC – www.sodec.gouv.qc.ca.

Nous reconnaissons l'aide financière du gouvernement du Canada par l'entremise
du Fonds du livre du Canada pour nos activités d'édition.

Imprimé au Canada

Tables des matières

Remerciements

À Philippe Turchet. J'étais loin de me douter à quel point ce nom entendu à la télévision serait présent dans ma vie. Je me suis inscrite à un cours avec beaucoup de curiosité, mais sans réellement savoir ce qui m'attendait. J'ai été surprise, impressionnée, intéressée dès la première heure. Si vous en avez la chance, assistez à l'une de ses conférences, vous en reviendrez conquis.

Évidemment, d'autres synergologues m'ont beaucoup marquée. Je ne peux passer sous silence la pédagogie hors pair et l'enthousiasme extraordinaire de Christine Gagnon. Enfin, un merci spécial à mes amis Rénald Marchand et Paul Blais ainsi qu'à Nancy Cromp, ma complice depuis bien des années.

À Simon et Sara, mes adorables enfants et ma source d'inspiration. Bien des fois, c'est l'espoir de rendre le monde un peu meilleur pour vous deux qui me pousse à me dépasser et à continuer. Je vous aime. Martin, merci d'être là, de m'encourager quand je doute, de me réconforter quand je faiblis, de me montrer le chemin quand je suis perdue, de m'aimer telle que je suis et d'accepter aussi ce que je vois. Je t'aime.

Préface

Pour réussir dans sa vie, il faut beaucoup de travail et de la persévérance. Annabelle a trouvé la recette de ce succès. Son évolution profession-nelle est remarquable. D'abord étudiante disciplinée et rigoureuse, elle relève maintenant de nouveaux défis «synergologiques» avec brio et toujours avec cette même énergie positive. Annabelle est avant tout une battante, une femme de tête.

Cet ouvrage se veut un résumé des principales recherches effectuées dans le domaine de la synergologie par Philippe Turchet. Quelques modules proviennent également de synergologues qui sont ressortis du lot par leurs recherches exhaustives. Ces étudiants québécois, je les ai vus un par un évoluer et s'épanouir. Annabelle en fait partie. Elle vous offre maintenant une fenêtre ouverte sur cette discipline qui est en pleine évolution.

Bonne lecture!

Christine Gagnon, synergologue

Avis au lecteur

C omme l'indique Philippe Turchet sur le site <u>www.synergologie.org</u>, le mot «**synergologie**» a été formé à partir des préfixes sun (être ensemble), ergo (actif), logos (discours). Cela signifie donc d'être actif en situation de production d'un discours. Dès la première formation, M. Turchet précise que la synergologie est une «discipline dont l'objet est de mieux décrypter le fonctionnement de l'esprit humain à partir de son **langage corporel**, afin d'offrir la communication la mieux adaptée. Elle est ancrée dans un champ pluridisciplinaire au carrefour des neurosciences et des sciences de la communication.»[1]

Il ne s'agit nullement de mentalisme, de télépathie ou d'introduction dans l'esprit humain, mais bien d'une classification rigoureuse et longuement documentée des items non-verbaux induits par le cerveau lui-même. En effet, le cerveau de chaque être humain est globalement constitué de la même façon. Les réactions émotionnelles sont propres à chacun, mais ces réactions sont traitées par le corps et ce dernier les communique. C'est ce langage que le synergologue apprend à observer et à interpréter pour mieux comprendre l'autre et être mieux compris.

Je vous souhaite une lecture stimulante et enrichissante!

Préambule
Pourquoi? Pourquoi pas!

« Ce que cache mon langage, mon corps le dit. Mon corps est un enfant entêté, mon langage est un adulte très civilisé... » – *Roland Barthes*

Après un bac en génagogie (dynamique des équipes de travail) et une maîtrise en administration : intervention et changement organisationnel (M. Sc.), j'ai travaillé comme consultante en gestion et management. Puis, inévitablement, est venu CE mandat, celui plus complexe qui fait douter de tout : une analyse de climat organisationnel particulièrement pénible. Il me fallait analyser la situation, identifier les sources de conflits, discerner le vrai du faux et guider le client dans sa prise de décision. À la fin des deux jours d'entrevue, j'étais épuisée et je ne savais plus qui croire. Dans l'espoir de calmer un peu le tourbillon de pensées dans ma tête, j'ai allumé la télévision et là, j'ai vu une dame aux cheveux noirs qui affirmait que l'on peut savoir si quelqu'un ment par une démangeaison au niveau du nez accompagnée de certains gestes. Elle s'appelait Christine Gagnon, synergologue.

Je suis habituée d'observer. Cela fait maintenant 26 ans que je pratique le karaté shotokan. Je suis ceinture noire, 3e dan. Je suis donc formée pour analyser la rotation de la hanche, le mouvement parasite du coude ou de l'épaule, le déclenchement du coup de poing, etc. Je me suis aussi acclimatée au regard de certains qui affirment que je dois être «dangereuse» parce que je pratique un art martial. Je suis hors norme, c'est le moins que l'on puisse dire, mais j'ai un DEC en sciences et j'aime comprendre le rationnel derrière les perceptions, les faits derrière chaque émotion. Je ne comprenais pas comment on pouvait émettre tant d'hypothèses à partir de gestes, de postures, de démangeaisons, alors j'ai fait ce que je fais toujours en pareil cas : plutôt que de juger, j'écoute, je lis, je pose des questions et je valide ailleurs.

Lorsque j'ai assisté à la séance d'introduction de la synergologie, j'étais loin de me douter à quel point cette discipline allait transformer ma vie. J'ai la chance d'avoir une très bonne mémoire. Je retiens vraiment bien ce que les gens disent dans leurs mots propres, et je me souviens de plusieurs pensées qui me traversent l'esprit, même celles qui passent très rapidement. Aussi, quelle ne fut pas ma surprise lorsque Philippe Turchet est parvenu à décrire avec une facilité déconcertante les doutes qui m'assaillaient, les liens que je parvenais à faire dans ma tête, les sujets qui me touchaient plus particulièrement, les questions que je me posais. Il les nommait comme on parle du temps et force était de constater qu'il avait raison sur toute la ligne. Mais c'est lorsqu'il a analysé ma démarche que j'ai alors réalisé tout ce que mon corps dévoilait : le type de relation avec mes parents, mes liens avec le passé, ma vigilance, ma fierté, ma détermination, ma façon de prendre des décisions, ma réaction aux vicissitudes de la vie. Tout le monde pense être capable de cacher ses pensées secrètes, mais lui, il voit tout… absolument tout. Et, mieux encore, il me disait quels items il repérait et comment il les analysait. Pas d'ésotérisme, pas de mentalisme, seulement des faits vérifiables, observables, concrets, des faits et encore des faits dont je pouvais prendre conscience.

Alors j'ai plongé. J'ai complété le programme de synergologie. Est-ce un don ? Non, c'est une discipline passionnante mais très exigeante. Est-ce un pouvoir ? Non, c'est une importante responsabilité : celle de faciliter la communication et de bien lire le non-verbal, car l'erreur peut être dommageable.

La synergologie est venue apporter une tout autre dimension dans mes relations : la compréhension de l'autre, de ses pensées, de ses émotions afin d'en faciliter la communication et l'expression de l'authenticité. Cela m'a demandé un lâcher-prise, beaucoup d'humilité et l'acceptation de ce que l'on n'ose pas souvent regarder en soi : notre côté sombre. Parce que la première chose que l'on constate, ce sont nos propres non-dits, nos techniques de camouflage, notre manque d'authenticité. Alors, avant de porter un jugement sur autrui, un synergologue commence d'abord par se regarder lui-même !

La synergologie a aussi développé chez moi cette qualité particulière qu'est la patience ! Ce n'est certes pas la qualité qui me vient le plus naturellement. Mais cette discipline fait en sorte que l'on voit l'émotion, la pensée ou la pulsion de l'autre avant même qu'elle vienne au niveau de la conscience. Avec mon conjoint, je pouvais nommer sa colère qui camouflait sa tristesse tout aussi visible alors qu'il n'en avait pas encore réalisé la présence et ne parvenait pas à se les nommer à lui-même. Il m'a fallu apprendre à donner du temps aux gens pour ressentir, comprendre, accepter, verbaliser, nommer.

① Œil droit plus petit : stress rationnel

② Rotation de la tête pour présenter l'œil droit : analyse, contrôle

③ Commissures des lèvres plus élevées à droite qu'à gauche : sourire programmé, non spontané, conscience d'être observée

④ Épaule droite plus remontée que la gauche : stress de performance

⑤ Pieds pointés vers l'avant : en mode décisionnel et de vigilance, en lien avec le stress de performance

⑥ Léger froncement des sourcils : concentration, analyse

⑦ Légère inclinaison de la tête sur la droite : légère vigilance

⑧ Posture droite, mais torse non bombé : fierté imprégnée dans la statue sans expansion exagérée de l'ego

⑨ Main gauche avec doigts détendus et un peu ouverts : le stress se gère. Le bras est plié, en bouclier : mode de protection

⑩ Démarche du talon : énergie durable, force, détermination, vigilance, responsabilité

Il m'a fallu aussi, et surtout, apprendre à me faire une carapace contre les gens qui critiquent sans connaître, qui refusent de regarder les recherches universitaires pourtant très solides, qui ont souvent si peur eux-mêmes de se dévoiler. Pour vous, entre autres, j'ai inséré plusieurs résumés d'articles scientifiques. Peut-être certains d'entre vous prendront-ils la peine de les lire, de vérifier par eux-mêmes et alors oseront-ils avoir le courage de revoir leurs perceptions.

Aujourd'hui encore, je continue de me perfectionner et de travailler sur ma propre authenticité, car c'est ainsi que je deviens, j'ose le croire, une meilleure synergologue et une meilleure personne. La synergologie, c'est comme le karaté, c'est sans fin. On a toujours un aspect à améliorer, une nouvelle notion à intégrer, un autre angle à regarder.

VOUS RENCONTREZ UN SYNERGOLOGUE ? PAS DE PANIQUE !

Vous vous rendez à un souper d'affaires et vous discutez depuis plusieurs minutes avec de nouvelles personnes lorsque l'une de vos connaissances vous informe que l'individu devant vous est synergologue... Que faire ?

Tout d'abord, sachez que votre surprise, votre malaise, votre colère de ne pas avoir été informé plus tôt, votre peur d'être mis à nu, le synergologue les a tous vus... avant même que vous n'ayez pu verbaliser quoi que ce soit d'intelligible et d'intelligent.

Est-ce que le synergologue est là pour vous blesser, vous humilier, vous diminuer ? NON. Il est là pour affaires, comme vous. Il a seulement la capacité de mieux comprendre ce que vous ressentez ou voulez exprimer.

Un petit truc ? Nommez vos impressions, votre inconfort, vos questions et rappelez-vous que vos émotions vous appartiennent et que leur gestion est donc de votre responsabilité, pas la sienne !

Soyez ouvert et tout ira bien.

LE SAVIEZ-VOUS ?

Vos émotions passent d'abord par votre corps

Selon des psychologues de l'Université de Princeton, aux États-Unis, la lecture des états émotionnels d'un individu est plus efficace par l'analyse des items du corps que par ceux du visage. En effet, les participants de l'étude ne pouvaient identifier les vainqueurs et les perdants au tennis s'ils ne regardaient que le visage des joueurs. Par contre, en examinant l'ensemble du corps, les résultats s'avéraient nettement plus concluants. Pour vérifier les hypothèses émises, les résultats ont ensuite été vérifiés avec des photos de gens éprouvant des émotions dans des situations différentes.

Les chercheurs ont transposé numériquement le visage des vainqueurs sur le corps des perdants et vice versa. Les participants devaient prendre la pose et mimer les expressions faciales. Or, les participants se sont basés sur le corps des joueurs, non pas leur visage, pour prendre les poses. Le Dr Hiller Aviezer ajoute que « lorsque les émotions deviennent extrêmement intenses, la différence entre la réaction positive et négative est difficile à faire avec l'expression du visage. »

Source : http://www.sciencemag.org/content/338/6111/1225.abstract.

Chapitre 1
Votre corps parle beaucoup!

«Aucun mortel ne peut garder un secret; si ses lèvres restent silencieuses, ce sont ses doigts qui parlent.» – *Sigmund Freud*

A vez-vous déjà assisté à une conférence de Philippe Turchet, Christine Gagnon ou Christian Martineau? Vous êtes-vous demandé si de telles capacités sont possibles? Peut-on réellement tout savoir sur quelqu'un simplement en observant sa gestuelle, sa démarche, ses mimiques? Eh bien, pas tout mais beaucoup! Et plusieurs études le démontrent.

Est-ce comme dans l'émission *Lie to me*? Voilà la première question que les gens me posent. Oui et non. Oui, un synergologue analyse le non-verbal selon un lexique corporel complexe, mais non il ne se base pas seulement sur les émotions. Il y a aussi les pulsions, les pensées, les états corporels. Et bien d'autres précisions majeures présentées tout au long de ce livre.

Est-ce que je lis dans votre tête? Pas du tout. Vos pensées vous appartiennent. Mais je lis dans votre corps. Or, des neurobiologistes ont démontré, images IRM à l'appui, «que nos pensées peuvent être censurées ou détournées à notre insu même (Cf Joseph Ledoux, Le cerveau des émotions, Éd. Odile Jacob).»[2] Cela veut donc dire que votre corps dévoile ce qui se passe en vous avant même que la conscience ne soit au courant. Paniquant? Humm! Au premier abord seulement. Pensez-y: si vous êtes réellement authentique avec vous-même, votre corps est cohérent et vous êtes à l'aise d'assumer vos pensées subreptices, vos émotions spontanées, vos réflexes cognitifs, vos inhibitions et vos impressions. Là où réside la difficulté, c'est justement qu'il est difficile de laisser tomber les mécanismes de défense, la carapace, l'image projetée pour laisser place à la personnalité naturelle. On est souvent gêné par notre propre émotion et on se dit que personne ne doit s'en rendre compte. On n'ose pas dire comment on se sent, on camoufle notre réaction, on se ment parfois à soi-même parce que ça nous arrange aussi. On omet certaines choses. Et il arrive qu'on refuse d'admettre ce qui nous a traversé l'esprit ou qu'on ne veut surtout pas dévoiler ce à quoi on vient de penser. Mais le corps, lui, est cohérent et il divulgue beaucoup de choses sans qu'une parole ne soit prononcée ; alors autant s'y habituer et faire la paix avec soi-même.

① Axe rotatif gauche
② Axe rotatif droit
③ Bouche fermée
④ Épaule droite surélevée
⑤ Mains en prise
⑥ Croisement extérieur
⑦ Mains en couteaux fermés détendus
⑧ Pieds décalés
⑨ Cheville détendue

■ Anecdote 1

À mon premier cours de synergologie, je me suis dit que si je ne bougeais pas les mains et que je ne me grattais pas, le formateur ne verrait rien... Ah! Ah! Quelle naïveté de ma part! C'est Philippe Turchet lui-même qui est alors entré dans la pièce. Au bout d'une heure, il a fini par me dire que ça ne donnait rien de retenir mes mouvements puisque tout transparaissait ailleurs et que je ne pouvais pas contrôler la dilatation des pupilles, la dissymétrie des yeux, les microcontractions des muscles du visage, etc. J'avais l'épaule droite telle-ment tendue que mes muscles brûlaient et ça me piquait partout! Alors je me suis dit qu'il valait

mieux être plus naturelle! Et, tout au long du cheminement, j'ai dû apprendre à nommer les choses. En effet, à force de réaliser toutes les démangeaisons que j'avais, j'ai pris conscience de tout ce que je m'empêchais de dire, de mes difficultés à poser mes limites, de mon besoin de parler de façon constructive, de ma peur d'être rejetée, de mon incapacité à faire face à certaines situations. Mon non-verbal m'a appris beaucoup sur moi-même et, quand je regarde le corps en mouvement d'une autre personne, je me rappelle d'où je suis partie.

Le premier sujet d'un synergologue, contrairement à ce que les gens pensent, c'est lui-même et non l'autre! En effet, durant les conversations, l'étudiant en synergologie va inévitablement prendre conscience de sa propre démangeaison, de son changement de posture, de sa déglutition, de son croisement de jambes. Il sait ce qui lui a traversé l'esprit et donc il va analyser son geste, constater l'efficacité des principes synergologiques, enregistrer l'apprentissage fait et… observer l'impact de son non-verbal sur l'autre… Il comprend donc rapidement que si l'interlocuteur se ferme, se rigidifie ou résiste, c'est peut-être parce que le synergologue a provoqué ce type de réactions. L'authenticité, le travail sur soi, l'acceptation de soi deviennent donc des incontournables.

■ *Anecdote 2*

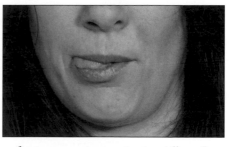

Un jour, alors que j'étudiais en vue d'un des examens de synergologie, je me creusais la tête à essayer de retenir les différents mouvements de la langue qui sont, soi-dit en passant, très présents dans la communication non verbale. J'étais avec un groupe d'amies. L'une des invitées, que nous appellerons Lise, me dit alors que, selon elle, peu de gens font ces mouvements et qu'elle-même n'en fait jamais, ajoute-t-elle en passant sa langue sur ses lèvres. Je me suis exclamée qu'elle venait justement d'en démontrer un. «Non, non, non, ce n'est pas vrai!», réplique-t-elle, avec une deuxième apparition de ce précieux organe! Cette fois, par contre, une autre amie l'a vue et le lui a mentionné. Eh bien, Lise a tout de même tenté, une fois de plus, de nous convaincre que nous avions rêvé, et ses papilles gustatives sont devenues bien visibles une troisième fois. Comme deux autres invitées lui ont fait remarquer l'image qu'elles venaient de voir, elle a fermé la bouche pendant toute l'heure qui a suivi. Pourquoi? Plusieurs raisons sont possibles. Bien des gens se montrent de prime abord réticents à la synergologie parce qu'ils ne connaissent pas du tout le sujet et craignent qu'il ne s'agisse d'une sorte de don ésotérique (ils sursautent alors en voyant les recherches universitaires sérieuses). Et il y a ceux qui ne veulent surtout pas se «découvrir». Lise détestait l'idée que je puisse déceler certaines choses, même si mon attention était sur mon étude et non sur elle! Il lui a fallu plusieurs semaines avant de trouver le courage de me contacter et de «m'expliquer» sa peur que je ne dévoile ses «secrets» si

---

personnels et si intimes alors que je ne m'intéressais pas du tout à son non-verbal! Je ne comprenais pas pourquoi elle ramenait le sujet à elle jusqu'à ce que je réalise qu'elle avait elle-même une difficulté avec ses propres non-dits et avait peur de ce que les gens penseraient s'ils savaient. Mais, cela lui appartenait.

Si elle savait que… mon massothérapeute pouvait me dire si j'avais eu une mauvaise semaine au bureau simplement en observant ma démarche dans la salle d'attente. Son expérience et sa formation faisaient qu'il identifiait le type de stress subi selon les tensions corporelles. Une amie psychologue savait très bien si je me confinais sous une carapace de protection d'après le genre de réponses que je donnais en accueillant des gens durant un camp d'entraînement. Elle identifiait le mécanisme de défense, le pattern comportemental et pouvait donc faire certaines déductions sur mon enfance. Un ami policier pouvait me dire avec une incroyable précision qui avait consommé de l'alcool ou une autre substance, qui allait devenir agressif dans les prochaines minutes, qui avait un objet interdit ou contondant caché sur lui.

Bien des gens lisent le non-verbal, mais pas tous avec la même efficacité, bien entendu, et plusieurs s'improvisent experts sans avoir reçu une quel-conque formation. Mais il est illusoire de croire que notre corps ne dévoile rien aux autres et que l'on peut totalement en contrôler les signaux. En fait, nous sommes programmés pour nous faire une idée rapidement de la personne qui est devant nous. Une recherche en psychologie[3] a démontré qu'en dix secondes, notre regard analyse une vingtaine de points, même si l'on pense focaliser notre attention.

Christophe André, un auteur bien connu en développement personnel, mentionne dans son livre *Imparfaits, libres et heureux*[4] que les trois plus grands maux de notre époque sont l'apparence (l'image), la performance (le rendement) et l'abondance (l'impression que l'on peut tout avoir). Or, l'étude de la synergologie demande et implique l'abandon des carapaces, l'apprivoisement de notre côté sombre, l'acceptation de nos différences et de notre personnalité réelle. Imaginez une conversation entre des synergo-logues. Tout le monde voit le changement de comportement, l'état corporel ou l'émotion de la personne qui parle et aussi de celles qui l'écoutent, alors pourquoi tenter de les camoufler? Autant être authentiques! On ne peut rien cacher de toute façon!

Est-ce que tout le monde complète la formation en synergologie? Non. Elle demande du temps, des efforts, de l'humilité, de la franchise, comme toute discipline travaillant sur l'humain. Celle-ci est, avouons-le, passion-nante. Est-ce que le présent ouvrage fera de vous un synergologue aguerri? Pas du tout. Ce serait comme dire que vous pouvez devenir ceinture noire de karaté en regardant des films d'arts martiaux ou escrimeur en furetant sur le site de la fédération d'escrime. Ce livre ne fera pas de vous un expert, mais il vous sensibilisera suffisamment pour vous permettre de savoir ce que c'est, pour apprendre des notions de base, pour consolider certaines habiletés et vous permettre de vérifier si vous souhaitez pousser plus loin vos connaissances.

Ce livre s'adresse donc non seulement aux néophytes, mais aussi aux étudiants passionnés de synergologie qui, je l'espère, prendront plaisir à se remémorer la matière et à mieux l'assimiler. J'ai ponctué les chapitres de résumés d'études sérieuses et de solides recherches faites à travers le monde. Rappelez-vous aussi que la synergologie, en plus de s'appuyer sur les travaux de neurologues, de chercheurs, de psychologues, de psychiatres, de médecins et j'en passe, base ses hypothèses sur de très nombreuses heures d'observation vidéo analysées par plusieurs synergologues d'Europe et d'ici. Eh oui, nous sommes plus nombreux que vous le pensez !

VOUS DISCUTEZ AVEC UN *SYNERGOLOGUE* ? PAS DE PANIQUE !

Vous rencontrez un synergologue en entrevue ou lors d'un dîner d'affaires ? Voici quelques phrases à éviter... à moins de vouloir à tout prix qu'il jette intensément sur vous son regard synergologique !

- Est-ce que ça marche vraiment ?
- Je me gratte juste parce que ça me pique !
- Vous êtes mentaliste ?
- Moi, je suis un expert là-dedans, j'ai lu un livre...
- Je suis sûr que vous m'avez analysé !
- Alors, le criminel arrêté ce matin, il est coupable ?

La synergologie est basée sur des recherches menées en neurobiologie, en psychiatrie, en psychologie et en analyse du non-verbal par des experts dans le monde entier dont Philippe Turchet, Paul Ekman, David Matsumoto, Paul Kelly, Joseph Ledoux, Erwin Goffman, Ray Birdhwhistell, Paul Watzlawick, Margaret Mead, Edward Hall, Gregory Bateson, Antonio Damasio, Joe Navarro, Daniel Goleman et bien d'autres.

Alors, on relaxe !

Le saviez-vous ?

La démarche révèle-t-elle le caractère ?

Des travaux de Joann Montepare et Leslie Zebrowitz-McArthur, à l'Université du Massachusetts, et d'autres de Rebekah Gunns et ses collègues, de l'Université de Canterbury à Christchurch en Nouvelle-Zélande, ont démontré que la démarche renseigne sur des aspects fondamentaux de la personnalité : âge, sexe, dominance, vulnérabilité, sociabilité, émotions et concepts présents en mémoire. Elle remplit un rôle de communication instantanée et implicite avant même que le langage n'apparaisse chez l'homme. L'observation d'un seul point sur la cheville a permis aux participants de deviner le sexe du marcheur. En période ovulatoire, la démarche féminine se modifie. Le psychologue Daniel Janssen et ses collègues de l'Université de Mayence en Allemagne ont fait écouter de la musique aux étudiants et leur ont demandé de s'imaginer angoissés, tristes, heureux ou d'humeur neutre. Les observateurs extérieurs ont identifié le type de musique diffusée par la fluidité et la vélocité dans les rotations des épaules et du bassin au moment des changements de direction : les émotions positives augmentent cette vélocité et cette fluidité, alors que les émotions négatives, telles l'angoisse et la tristesse, ralentissent et rompent l'aspect « coulé » des changements de direction.

Source : Cerveau & Psycho – n° 45 mai – juin 2011 et www.pourlascience.fr/ewb_pages/f/fiche-article-la-demarche-revele-t-elle-le-caractere-26945.php.

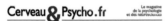

Chapitre 2
L'impact du non-verbal sur l'autre et sur vous!

«Parle, afin que je te voie.» – *Georg Christoph Lichtenberg*

Quelle est la part du non-verbal dans notre communication? Selon plusieurs experts, lorsque l'on communique, 7% de la communication passe par les mots, 38% par le ton, le timbre et l'intonation et 55% par le non-verbal[5]. Pour sa part, Robert Rosenthal[6] affirme que les mots représentent moins de 10% de la communication. Quelle que soit la proportion, elle est impor tante. Ce sont nos façons de réagir qui nous différencient (et cela relève de la psychologie). Nos émotions, et les états  corporels sur lesquels elles se fondent sont universels. La peur, la colère, la peine, la joie sont ressenties partout à travers le monde, que l'on soit en Papouasie, au Japon, au Sénégal, en Angleterre, au Brésil ou ici.

Une recherche sur la reconnaissance des émotions avec des participants de 37 pays[7] conclut que «les émotions primaires exprimées par le visage sont innées et reconnues par tous les peuples, quelles que soient leurs cultures.»[8] Même Darwin [9] affirmait que «les émotions activent les mêmes zones du cerveau et déclenchent les mêmes réactions, quel que soit l'endroit de la planète où elles sont observées.» [10] Seulement 5 à 10% de nos gestes sont propres à notre éducation et à notre environnement[11].

Disa Sauter, Sophie Scott et leurs collègues de l'Université de Londres[12] ont monté une expérience avec des Anglais et des gens du peuple Himba, une ethnie de 20 000 individus du nord de la Namibie. Ils leur ont demandé de raconter des histoires, dans leur langue, associées à des émotions spécifiques. Or, les émotions sont associées à des sons bien spécifiques et facilement reconnaissables. Les Himbas, comme les Anglais, reconnaissaient presque à chaque fois le son correspondant à l'histoire. Les émotions négatives (peur, colère, tristesse, etc.) sont aisément identifiées. Les émotions positives sont plus difficiles à distinguer entre elles, sauf pour le rire qui est facilement reconnu.

Peu importe notre origine, le cerveau est constitué de la même façon. Tout le monde vit des moments de tension musculaire et de relâchement. Tout le monde garde des états pour soi et certains, au contraire, sont orientés vers les autres, qu'ils soient positifs ou négatifs. Tout le monde exprime un jour ou l'autre des propos inexacts ou erronés et, dans d'autres cas, inhibent certaines vérités. Or, on sait quelle zone cérébrale gère les émotions. On sait aussi laquelle s'occupe de la logique et du raisonnement et laquelle est en lien avec les pulsions.

On sait que l'hémisphère gauche contrôle le côté droit du corps et, inversement, que l'hémisphère droit contrôle le côté gauche du corps. Que l'on soit gaucher ou droitier, notre cortex est le même (et, non, les hémisphères des gauchers ne sont pas inversés[13]). La différence, pour ce dernier élément, se voit dans les gestes moteurs conscients. Les recherches de Mc Neil[14] démontrent que nous utilisons nos deux mains pour communiquer, sans privilégier forcément la main motrice. Les tribus primitives de même que les populations dites plus «modernes» ont, dans leur crâne, les mêmes couches cérébrales.

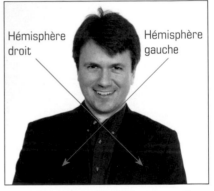

Frédéric Peucheret[15], analyste comportemental spécialisé, entre autres, dans le profilage, rappelle que:

> «L'hémisphère gauche contrôle les actions motrices, mécaniques, logiques, ainsi que les processus de réflexion raisonnés (calcul, formulation verbale, raisonnement logique…), mais également, par exemple, la reconnaissance d'une sensation physique. L'hémisphère droit gère en majorité les processus émotionnels et imaginatifs, tels que la création, la visualisation, la valeur artistique et émotionnelle, mais aussi certains processus cognitifs tels que la reconnaissance faciale, la gestion des émotions et des états internes, l'interprétation d'une sensation…

À titre d'exemple, la formulation du langage verbal est effectuée à 95 % par l'hémisphère gauche, et seulement 5 % par le droit. À l'inverse, la capacité à se positionner dans l'espace (processus visuo-spatial) est très largement traité par l'hémisphère droit. »

Est-ce ça peut vous démanger parce que vous avez des allergies? Tout à fait. Un synergologue ne se fie jamais à un seul item pour tirer une conclusion. Ce serait une erreur. Il observe plutôt un amalgame d'environ huit items simultanément. C'est la méthode des Assates dont parlent si souvent Philippe Turchet[16] et, présentée autrement, Paul Ekman[17]. Pour une même image, on peut identifier 19 signes différents en même temps pour étayer une conclusion[18]. L'interprétation première s'applique dans 80 % des cas. Les 20 % restants nécessitent des analyses plus approfondies.

Mais si votre bras vous démange durant une conversation et que, parallèlement à cela, votre tête s'incline très légèrement vers la droite, que votre déglutition devient plus apparente, qu'il y a une microcrispation d'un muscle de votre joue, que le bout de vos orteils se retrousse, que votre poids sur la chaise se transfère un peu vers l'arrière gauche, que votre œil droit est plus fermé que l'autre et que vos jambes se croisent en direction de la sortie, alors je vais me douter que la déman-geaison initiale n'est pas due à des allergies. Elle a été provoquée par un afflux sanguin lié au malaise ressenti ou à un influx nerveux venu directement d'une zone spécifique du cerveau. Pourquoi? Parce que ce dernier a réagi à une émotion négative ou il est tombé dans un mode de vigilance et vous avez ressenti le besoin de vous protéger, de mettre fin à la conversation ou de ne pas vous impliquer dans un discours qui ne vous plaisait pas. Et cet état n'a pas été verbalisé. Le corps doit gérer l'émotivité non exprimée ou le besoin de contrôle ou la réaction physiologique qui a été générée (afflux sanguin, vasodilatation, augmentation du rythme car-diaque, etc.). Il l'évacue physiquement puisque cela n'a pas été fait verbale-ment. C'est une fuite corporelle. Or, le corps réagit non seulement à ce type de stimuli, mais aussi à une pulsion, à une pensée, à un non-dit, à une volonté d'inhiber de l'information. Le synergologue ne cherche donc pas tant l'émotion derrière le geste, mais il observe le changement de l'état corporel ou du comportement ainsi que la vigilance.

Philippe Turchet a fait une expérience. Rappelons qu'en raison du travail des hémisphères cérébraux, lorsque la personne est davantage dans le lien avec l'interlocuteur, qu'elle est bien avec autrui, elle oriente légèrement la tête pour présenter son œil gauche. Lorsqu'elle veut convaincre, qu'elle contrôle son discours, qu'elle est dans l'analyse, ou qu'elle n'est pas dans le lien, elle présente davantage son œil droit. Or, M. Turchet a filmé une conversation entre un homme partiellement aveugle de l'œil gauche et une belle femme. Rationnellement, on aurait pu croire que le handicap physique prédisposait à un avancement de l'œil droit, afin de mieux voir. Cependant, le sujet a été séduit, attiré par la dame, et il lui a parlé tout le long avec l'œil gauche en avant. Plusieurs autres expériences ont permis par la suite de conclure que même des gens qui ne voient pas du tout, lorsqu'ils sont dans le lien affectif, ils présentent l'œil gauche et quand ils sont dans un mode de vigilance, ils présentent l'œil droit. Le cerveau est ainsi fait. La tête est rarement tout à fait droite.

Axe rotatif gauche repérable par le fait que l'oreille gauche du sujet est plus visible que la droite.

Pratiquement tout le monde reconnaît une émotion pure et vive quand il en voit une. Là où les choses se compliquent, c'est que, généralement, on camoufle nos véritables sentiments pour rester poli, ne pas blesser, ne pas subir de conséquences, ne pas se dévoiler et se rendre vulnérable, bien paraître, ne pas envenimer les choses ou générer une dispute, etc. Qui plus est, il y a une foule de situations dans lesquelles on ne souhaite pas divulguer notre ressenti ou une information sans pour autant qu'il y ait réellement une émotion derrière l'omission. En effet, les menteurs ne sont pas tous mal à l'aise de cacher la vérité. Plongez dans votre mémoire. Il y a eu des instants où, possiblement, vous vous êtes senti justifié d'omettre certains éléments ou d'enrober un peu la réalité.

Paul Ekman[19] affirme que les mobiles du mensonge sont nombreux. Les gens mentent pour ne pas être punis, obtenir une récompense impossible à avoir autrement, protéger quelqu'un d'un châtiment, se protéger d'une menace physique, gagner l'admiration d'autrui, échapper à une situation sociale gênante ou ennuyante, garder une certaine intimité ou exercer un pouvoir sur autrui.

Philippe Turchet parle davantage de non-dits et d'authenticité, ce qui nous amène dans un angle non pas de jugement d'autrui, mais d'accueil dans la difficulté d'affirmation de soi. En effet, on n'affiche pas toujours ouvertement nos divergences d'opinion. Par exemple :

- On ne dit pas à de nouveaux parents qu'on trouve le visage de leur bébé très loin de nos critères de beauté.

- On ne dit pas facilement à un collègue que son odeur nous répugne ou que son haleine de café empeste...

- On ne dit pas à notre voisine que son nouveau chandail ne l'avantage pas.

- On dit rarement à quelqu'un que sa lenteur à la caisse nous énerve.

- On ose peu dire à une connaissance que l'on a remarqué une proximité physique inconvenante avec quelqu'un d'autre que son conjoint officiel.

- On ne dévoile pas à tout le monde nos états d'âme.

- On avoue rarement notre peur.

- On espère que les autres ne verront pas la partie plus sombre de notre personnalité.

On préfère éviter certains sujets qui nous déplaisent. Mais ce que l'on ne dit pas, le corps, lui, le dit et bien des gens sentent que quelque chose cloche dans la communication, mais ils ne savent pas quoi et ils interprètent leurs impressions en fonction de leur vécu, de leur point de vue, de leurs propres émotions. De part et d'autre, la communication est biaisée, déformée.

Le non-verbal joue un rôle majeur dans la conversation. Comme le rappelle si bien Philippe Turchet, le langage du corps peut transformer 100 % de la communication. Imaginez que vous avez une bonne nouvelle à annoncer à un ami, mais celui-ci arrive avec un air désemparé. Tout de suite, alors que vous pensiez lui annoncer l'obtention de votre nouvel emploi, vous lui demandez comment il va et la conversation change d'orientation. Le non-verbal vient de tout bouleverser.

Peut-être vous est-il déjà arrivé d'entrer au bureau et de trouver l'ambiance lourde. Peut-être vous êtes-vous déjà trouvé devant un enfant et avez eu l'impression qu'il venait de faire une bêtise. Peut-être avez-vous déjà croisé votre patron et vous vous êtes dit que ce n'était pas une bonne journée pour demander une augmentation de salaire. Peut-être vous est-il déjà arrivé de jaser avec quelqu'un et d'avoir eu le sentiment qu'il ne disait pas tout. Nous regardons tous le non-verbal de l'autre et en faisons une interprétation en fonction de notre bagage. Cela fait partie de nous. Pourquoi? Tout simplement parce que notre cerveau cherche à identifier rapidement si la personne devant nous est un partenaire potentiel pour procréer, s'il y a une menace dans le comportement de l'autre, s'il y a une opportunité d'amélioration de notre sort. Cela vient de notre héritage génétique.

Le synergologue, lui, a en tête des centaines d'heures de formation, d'observation, de lecture et d'analyse, et il utilise une classification d'items non-verbaux pour effectuer un décodage plus juste, plus près de la réalité et surtout plus objectif. La synergologie revient donc à l'étude de l'authenticité pour mieux comprendre l'autre. Comme l'explique la synergologue Geneviève Small, le but est d'avoir une meilleure communication. «Plus votre corps est fluide, meilleure sera la communication. Moins vous êtes en contrôle et plus la relation est bonne. Et en entreprise, c'est la même chose. On a besoin d'avoir de bonnes relations. On a besoin de comprendre si quelque chose ne va pas parce qu'on va adapter notre communication.»[20]

Cette discipline scientifique vient d'études, de recherches et d'analyses neurologiques, psychiatriques, psychologiques, sociologiques, etc. Elle ne s'est pas construite toute seule dans son coin. Il est indéniable que les travaux de Paul Eckman sur les émotions primaires et les microréactions du visage ont marqué un point tournant. Philippe Turchet a développé de façon intensive les réactions de l'ensemble du corps depuis plus d'une trentaine d'années en ajoutant les différences hémisphériques que nous verrons plus tard, les pensées, les pulsions et le fait que le non-verbal ne doit pas être observé seulement pendant le discours, mais bien tout au long de la rencontre, soit avant, pendant et après les mots. Ses recherches se poursuivent et bonifient, année après année, la table synergologique (nomenclature, base de données intégrale) et son lexique corporel.

VOUS SAVEZ QUE VOUS ÊTES ACCRO DE SYNERGO QUAND...

Les étudiants de synergologie l'expérimentent tous, mais aussi ceux qui viennent assister à une conférence et qui en ressortent marqués... c'est la prise de conscience de leur propre non-verbal! C'est un peu comme lorsque Néo prend la pilule de couleur dans le film La matrice. À partir de ce moment-là, tout est vu différemment! Vous êtes donc tout à fait normal même si :

- Vous perdez le fil de la conversation parce que vous avez été distrait par un geste que vous avez fait et dont vous cherchez la signification!

- Vous aimeriez avoir une minicaméra sur vous pour pouvoir revoir et analyser le non-verbal que vous venez d'observer!

- Vous évitez les restaurants à aire ouverte où vous ne pouvez vous empêcher de remarquer les positions assises, les façons de déplacer les verres, les axes de tête et les croisements de jambes sous les tables!

- Vous rougissez en constatant les signes de pulsion sexuelle d'un interlocuteur!

- Vous aimeriez qu'un synergologue vous accompagne dans certaines situations pour vous dévoiler ce qui se passe réellement!

Ne vous en faites pas, car avec la consolidation des notions vient aussi une plus grande sérénité.

Le saviez-vous ?

Mentir droit dans les yeux

Le magazine Cerveau & Psycho publiait le 22 juin 2012 un article sur le non-verbal du menteur. Des chercheurs de l'Université de Portsmouth ont réalisé plusieurs études sur le sujet et en viennent à la conclusion qu'un menteur a tendance à regarder davantage son interlocuteur que quelqu'un qui dit la vérité. Il marque des pauses ou des hésitations, et ses mains sont moins actives pour illustrer ses propos. Cependant, pour vérifier s'il est cru, il ne détourne pas le regard. «Un menteur, souligne S. Mann, a tendance à douter de sa crédibilité. Pour cette raison, il a un désir plus grand de se montrer convainquant et est à l'affût des signes traduisant cette adhésion chez son interlocuteur. Pour savoir si on le croit, il cherche des indices dans le regard de son vis-à-vis, dans ses mimiques, et l'observe attentivement. Une personne qui dit la vérité, en revanche, a moins de raisons de douter qu'elle est crue et peut se permettre de regarder ailleurs. »

Source : www.cerveauetpsycho.fr/ewb_pages/a/actualite-mentir-droit-dans-les-yeux-29955.php. et www.pourlascience.fr/ewb_pages/a/actualite-mentir-droit-dans-les-yeux-29955.php.

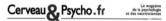

Chapitre 3
Quelques notions de base

«Sans vos gestes, j'ignorerais tout du secret lumineux de votre âme.» – Gasset

En synergologie, le terme «item» est couramment utilisé et signifie «le plus petit élément d'observation»[21] tel que la dilatation d'une pupille, une démangeaison précise, etc.

A. Méthode des Assattes

Il importe de comprendre qu'une analyse synergologique utilise la méthode des Assattes. Il s'agit donc d'une association d'attitudes. Qu'est-ce que cela signifie? Tout simplement que le synergologue repère plusieurs indices en même temps, les regroupe, tient compte de leurs interrelations et des degrés de priorité avant d'émettre une hypothèse. Pourquoi tant de précautions? Pour plusieurs raisons. Tout d'abord, il y a ce que l'on appelle le risque Brokaw[22]. En effet, chacun de nous présente des particularités

① Axes de tête
② Dissymétrie des yeux
③ Contractions musculaires
④ Ouverture de la bouche
⑤ Dissymétrie des épaules
⑥ Transfert de poids
⑦ Position des mains
⑧ Pronation et supination
⑨ Orientation des pieds

individuelles de comportement expressif. Certains gesticulent beaucoup, d'autres peu. Certains sont naturellement tendus, d'autres sont plus à l'aise à l'idée de se faire poser des questions, etc. Il faut connaître l'état dit normal d'un individu et quelles sont ses caractéristiques. Par exemple, une personne sincère qui est soupçonnée de mentir peut démontrer des signes de malaise parce qu'elle a peur de ne pas être crue et non pas parce qu'elle ment alors qu'un menteur peut ne ressentir aucune culpabilité. Comme l'indique Paul Ekman, il est possible de réduire ce risque Brokaw en fondant le jugement sur une modification du comportement du suspect. Cela implique donc de savoir comment la personne se comporte en temps normal, sinon on peut facilement tomber dans le piège de croire le menteur ou de ne pas croire la vérité!

De plus, un seul indice a plusieurs significations, alors imaginez tout un amalgame d'items. Un haussement de sourcils est visible dans la peur ou la surprise, par exemple. Il faut alors examiner la forme que prennent les sourcils, la réaction des yeux et de la bouche, la dilatation des narines, l'hypertonie du corps, les mouvements des bras, etc. Bref, tout un ensemble d'éléments pour saisir l'émotion apparente et, dans certains cas, l'émotion sous-jacente.

Par ailleurs, il est important de limiter les risques d'induction dus à l'émotivité de l'observateur. Le synergologue doit percevoir ce qui se vit chez l'autre avec le point de vue de l'autre. La méthode des Assattes permet donc de quantifier et d'ordonner les items afin d'«émettre une hypothèse ou proposer un horizon de sens.»[23]

- Les Assattes pauvres: 1 à 4 items

- Les Assattes modérées: 5 à 7 items

- Les Assattes riches: à partir de 8 items

B. Différents types de muscles

Le corps est composé de 639 muscles. Certains (570 d'entre eux) sont appelés muscles striés squelettiques. Selon Gérard Tortora[24], les muscles squelettiques comprennent des:

- Fibres de type I à contraction lente et résistantes à la fatigue (surtout dans les muscles posturaux)

- Fibres de type IIA à contraction rapide et résistantes à la fatigue (surtout dans les muscles des jambes)

- Fibres de type IIB à contraction rapide et sensibles à la fatigue (surtout dans les muscles du bras)

Il y a des muscles superficiels ainsi que des muscles profonds. Reprenons la description qu'en fait Rachid Ziane, docteur en sciences de l'éducation[25]:

Je lis en vous... savez-vous lire en moi?

Les muscles superficiels (ex.: biceps, triceps brachiaux, grands pectoraux, quadriceps, deltoïdes, trapèzes, etc.) sont moins proches des articulations que les muscles profonds. Ils sont volumineux et «visibles» sous la peau. Leurs fibres musculaires sont surtout du type II (rapides) et peuvent avoir une activité de type anaérobie lactique ou alactique, mais aussi de type aérobie. Leur activité est essentiellement dépendante de la volonté et non pas autorégulée par voie réflexe. Ils sont très volontaires, très fatigables et s'atrophient en dernier.

Les muscles profonds (ex.: psoas, iliaque, ilio-costal, long dorsal, intervertébraux ou encore le sus-épineux) sont très proches de l'articulation et peu volumineux. Leurs fibres musculaires sont essentiellement du type I (lentes): aérobie. Ils jouent également un rôle important dans la stabilisation articulaire. Ils sont peu volontaires ou lents à réagir à la volonté, peu fatigables et s'atrophient en premier.

Les émotions qui perdurent dans le temps, par exemple, un deuil particulièrement difficile, vont entraîner une contraction des muscles sur une longue période au point de s'imprimer dans ceux-ci. Pensez à quelqu'un qui, sous l'effet d'un stress important au travail, aura les épaules et le dos tendus.

Ajoutons que les muscles responsables de la motricité sont dits squelettiques. Ils sont striés et sont régis par le système nerveux central (système volontaire). Le muscle cardiaque est aussi strié, mais il a son propre système de contraction réactif aux stimulations hormonales, donc difficile à contrôler consciemment. Le corps compte aussi des muscles lisses qui sont gérés par le système nerveux autonome (système involontaire). Pensons aux muscles de l'estomac. Or, les muscles lisses mettent de 40 à 400 fois plus de temps que les muscles striés à se détendre face à un stress.[26]

C. Cerveau

Il y a trois couches de cerveau:

- le cerveau reptilien, siège des instincts;

- le cerveau limbique, siège des émotions;

- le néocortex, siège du raisonnement.

L'hémisphère gauche du cerveau contrôle la partie droite du corps. Il est actif dans le contrôle, la structure, l'organisation des idées, la logique, l'analyse, le rationnel. L'hémisphère droit contrôle la partie gauche du corps. Il est intuitif et actif dans le lien entre les idées et avec les autres, dans l'abstrait, les concepts, l'émotion et la créativité. Il est plus habile à traiter la communication non verbale.

D'ailleurs, à ce sujet, de nombreuses recherches ont démontré ceci:

- Huit femmes sur 10 portent leur bébé sur le bras gauche.[27]

- Même les mères gauchères portent plus souvent le bébé à gauche.[28]

- 85 % des chimpanzés, 82 % des gorilles, et 75 % des orangs-outans portent leur progéniture à gauche. Ce comportement serait apparu il y a plus de 6 à 8 millions d'années.[29]

- Un enfant tenu sur le côté gauche de sa mère est dans son champ visuel gauche et proche de son oreille gauche. Cela faciliterait les interactions affectives et permettrait à la mère de contrôler les émotions du bébé. Celui-ci voit le côté du visage qui est le plus expressif.[30]

- Nous sommes plus touchés par l'expression émotionnelle visible sur le côté gauche d'un visage que sur le côté droit.[31]

Les synergologues Annick Millette (neuropsychologue) et Sylvie Pilon (travailleuse sociale)[32] ont fort bien résumé certains fonctionnements du cerveau dans leur rapport déposé en avril 2013. Ainsi, elles nous rappellent que, parmi les structures corticales, on retrouve les cortex moteurs primaire, secondaire, pré-moteur et associatif qui sont responsables de la production des mouvements. Le cortex somatosensoriel et les aires 5 et 7 (aires associatives ou aires de Brodman) permettent l'ajustement aux stimuli de l'environnement. Les deux synergologues ajoutent les précisions suivantes :

> «Toutefois, pour arriver à un mouvement fluide, les messages des différentes aires cérébrales doivent passer par des structures dites sous-corticales, nommées ganglions de la base. Ces structures amènent une action facilitatrice du mouvement en réunissant les informations en provenance des différentes régions corticales.»[33]

À ces informations, Annick Millette et Sylvie Pilon[34] ajoutent que les ganglions de base sont impliqués dans l'expression comportementale de l'émotion (ex : élévations du rythme cardiaque, mains moites, réflexe de fuite ou de combat, etc.). Par ailleurs, au cœur du cerveau, l'insula est une structure associée à la douleur et à plusieurs émotions de base (peur, colère, dégoût, joie, tristesse).

> «L'insula joue également un rôle important dans le décodage de nos états viscéraux (froid, chaud, rythme cardiaque, etc.)[…]. C'est pourquoi certains chercheurs font de l'insula l'un des centres de la conscience de soi. […] Par conséquent, la conscience de soi et de nos états internes pour mettre en place une réaction adaptée passeraient, d'une part, par les récepteurs de la peau qui seraient analysés à l'aide du cortex somatosensoriel et, d'autre part, à l'aide des circuits de l'insula et du cortex cingulaire qui joueraient également un rôle dans l'analyse des changements physiologiques internes. Si une réponse doit être donnée à la suite de l'analyse des stimuli par ces différentes structures, celles-ci activeront les circuits des ganglions de la base qui activeront à leur tour la boucle motrice pour produire un mouvement par l'entremise du cortex moteur.»[35]

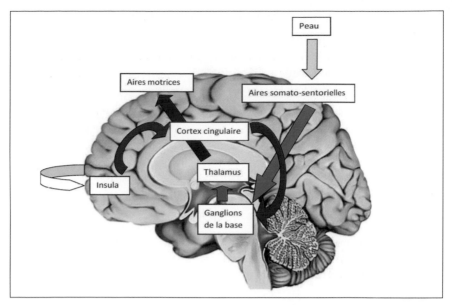

Source : Millette, Annick et Pilon, Sylvie. *Le mouvement lorsqu'il n'y en a plus...*, Rapport de synergologie, 2013, 32 pages.

D. Modes de lecture

Il y a trois modes de lecture synergologique : la statue, l'attitude intérieure et les micromouvements. En effet, en situation normale, tous n'ont pas la même démarche, la même morphologie, etc. Le temps fait son œuvre et les stress vécus s'impriment dans le corps. Je me souviens d'un professeur au baccalauréat qui avait les épaules continuellement relevées et le cou pratiquement soudé, même quand il était détendu. Il est important de tenir compte de la statue de la personne. C'est ce que l'on appelle l'être en pied. Une fois que l'on a saisi cette statue, on peut ensuite regarder les autres items.

1. Statue : états d'âme imprimés

L'analyse de la statue correspond à une lecture de l'ensemble du corps en un tout, permettant de cerner certains aspects de la personnalité. Elle se divise en huit segments. Elle traduit un **sentiment** imprégné depuis longtemps dans les muscles profonds qui mettent du temps à se contracter et à se détendre. À la longue, ils restent contractés.

2. Attitude intérieure : états d'âme exprimés

Elle traduit une **émotion**. Elle se lit, entre autres, par des mouvements du corps, des mains, des pieds, de la tête, etc. et par le tonus musculaire général. Le synergologue va observer les gestes mi-conscients (peuvent être repérés) ou inconscients (ne peuvent être repérés), comme la dilatation des pupilles. Il existe plusieurs types dont la nomination varie selon l'auteur. Ainsi, Philippe Turchet parle de gestes :

- Projectifs : projettent une émotion vers l'autre (fermeture ou ouverture), pronation ou supination, transmettent les états d'âme.

- Symboliques : reliés à la culture de l'individu.

- Figuratifs : décrivent, établissent une distance par rapport à l'autre. S'il s'agit de petits gestes, cela démontre une personne moins extravertie. Quelqu'un de plus extraverti fera de grands gestes.

- Engrammes : différents si gauchers ou droitiers, aident à trouver les mots, ne traduisent pas une émotion.

Paul Ekman parle des emblèmes (gestes ayant une signification connue de tous), des illustrants (gestes venant appuyer les dires par l'illustration) et des manipulatoires (gestes impliquant une autre partie du corps).

Les gestes sont en pronation ou en supination. Qu'est-ce que cela veut dire? Le premier indique une fermeture, une protection, un contrôle, une maîtrise, une rigidité, un repli sur soi, un stress, de l'ordre. Le second implique une ouverture, un laisser-aller, une affirmation, une nonchalance, du désordre. Ces notions sont très importantes en synergologie.

3. Micromouvements : états d'âme réprimés

Ils traduisent une **pulsion** et se classent en deux catégories :

- Microattitudes : microcaresses, microfixations, microdémangeaisons

- Microréactions du visage et du corps qui n'impliquent pas les mains, comme les sourcils, les épaules, les pupilles, la langue, la bouche, etc.

Notez qu'ils représentent le dernier élément de lecture du non-verbal. En effet, la statue doit toujours être observée en premier lieu, l'attitude intérieure en second et, à la fin seulement, les micromouvements pour ne pas perdre de vue l'horizon de sens, les particularités individuelles, le contexte influençant la gestuelle, la posture et les items plus pointus. Comme le dit si bien Philippe Turchet : «Il n'y a pas de compréhension possible de l'être humain sans l'articulation simultanée de ces trois lectures.»[36]

Je lis en vous... savez-vous lire en moi?

E. Sections du corps

La synergologie examine le corps de façon globale et segmentée. Pourquoi? Parce que plusieurs analyses ont permis de constater que les réactions sont très différentes selon la zone qui est stimulée. Philippe Turchet explique que la symbolique du corps est la même partout à travers le monde tout simplement parce que nous avons tous le même corps et chaque partie est associée à une fonction dans notre esprit. La bouche permet de manger et de parler, les jambes permettent de se déplacer et ainsi de suite. Bref, lorsqu'on porte attention au non-verbal d'un individu, on regarde évidemment l'ensemble (et pas seulement un item) et ses segments.

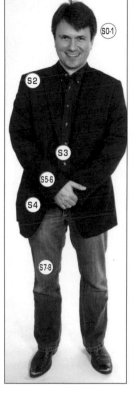

Sections:

(S0-1) Tête et cou : transmission des communications

(S2) Épaules et torse : zone de l'ego, ce que l'on est

(S3) Ventre : possessions matérielles et affectives

(S4) Bassin et hanches : forces vitales, rapport à la sensualité, à la liberté

(S5-6) Bras gauche et droit : liens affectifs

(S7-8) Jambes gauche et droite : liens avec l'environnement

F. Horizon de sens

Dès le début de l'analyse, le synergologue tient compte de trois critères. Tout d'abord, il évalue la tension musculaire. Est-ce que le corps est contracté, raide, rigide, crispé? C'est ce que l'on appelle l'hypertonie. Si, au contraire, il est très détendu, relâché, mou, lâche, sans tonus, on parle alors d'hypotonie. La question suivante est de savoir si l'état vécu est positif ou négatif. Enfin, il faut se demander si l'état émotionnel est orienté vers l'autre ou gardé pour soi. Ces critères permettent d'identifier de façon plus précise l'émotion vécue. Ils sont essentiels à l'analyse.

G. Contexte (systémie)

Le contexte de l'analyse est crucial. En effet, lorsque l'on observe certains items, leur interprétation doit tenir compte de l'environnement, du positionnement des gens et des relations. Prenons l'exemple de l'axe latéral droit. Cette inclinaison de tête n'a pas la même signification selon la position et la nature de la relation avec l'autre. Ainsi, habituellement, une tête penchée vers l'épaule droite est un signe de vigilance, de contrôle du discours. Or, si je suis en train d'écouter mon conjoint et que je suis face à lui, comme il a la tête penchée sur sa propre épaule gauche, par effet miroir et par empathie, je vais pencher ma tête vers la droite pour être dans le même angle que lui. Par ailleurs, s'il est à mes côtés à ma droite pendant une conversation avec un troisième individu, je peux pencher la tête non pas par vigilance, mais bien pour marquer mon lien avec mon conjoint. Voilà pourquoi un synergologue ne se fie jamais à un seul item.

Ajoutons qu'une fenêtre attire le regard de l'orateur surtout si celui-ci souhaite partir. Il faut donc toujours tenir compte des ouvertures pour bien lire le quadrant du regard.

Dans la présente photo, l'axe rotatif droit de la femme ne doit pas être interprété comme un signe de vigilance, mais plutôt comme un lien avec l'homme de qui elle rapproche son visage gauche.

H. Application

Examinons enfin l'application concrète de la synergologie à travers votre pratique professionnelle. Que vous soyez gestionnaire, employé, client, fournisseur, coach, formateur, vous avez, dans le cadre de votre travail, une multitude d'opportunités d'expérimentation de la synergologie. Je vous propose donc quelques chapitres de situations concrètes présentées sous deux angles, soit celui de la personne plus active et celui de la personne dite plus passive :

- Entrevue d'embauche : pour l'employeur et le candidat

- En rencontre de supervision : pour l'employeur et l'employé

- En réunion d'équipe : pour l'animateur et le participant

- En rencontre de coaching : pour le coach et le coaché

- En rencontre de proposition de services : pour le fournisseur et le client

- En formation ou conférence : pour le formateur ou le conférencier et le participant

Comme je l'ai déjà mentionné, l'objectif n'est pas de faire de vous un synergologue. Il est impossible, simplement par la lecture d'un livre, de devenir un expert. La formation de trois ans compte beaucoup de matière à couvrir, d'apprentissages à faire et d'exercices supervisés à réaliser. Les sujets sont nombreux : gestes, démarche, posture, axes de tête, quadrants du regard, démangeaisons, dilatation des pupilles, types de sourire, mouvements des épaules, des pieds, des doigts, de la langue et de la bouche, façon d'enfiler un vêtement, de déplacer des objets, de serrer une main, de se jouer dans les cheveux, microfixations, microcaresses, croisements des bras et des jambes, signes de mensonge et de malaise, etc. Et les recherches se peaufinent chaque année...

■ Petit exercice d'observation

Je vous lance un défi. Allez vous promener et suivez des gens qui marchent. Maintenant, considérez les éléments suivants et notez vos observations :

- Les pieds pointent-ils complètement vers l'avant, un peu vers l'intérieur ou beaucoup vers l'extérieur ? L'ouverture des deux pieds est-elle symétrique ?

- Est-ce que les gens marchent du talon ou ils sautillent ?

- Le corps porte-t-il plus de poids à gauche ou à droite ?

- Le torse est-il bombé, droit, penché vers l'avant, vouté ?

- Les bras bougent-ils le long du corps ou sont-ils immobiles ? Le mouvement dépasse-t-il les cuisses en allant vers l'arrière ?

- Les mains sont-elles le long du corps tournées vers l'avant, vers le corps ou vers l'arrière ?

- Si c'est un couple qui marche et que leurs mains sont jointes, qui a la main par-dessus celle de l'autre ?

- Est-ce que les hanches bougent de façon fluide ou semblent-elles figées ?

Tout au long de ce livre, nous verrons l'importance de chacun de ces aspects.

LE SAVIEZ-VOUS ?

L'effet du botox sur le non-verbal… et l'intelligence émotionnelle !

Cet antiride injecté pour paralyser certains muscles du visage et ainsi effacer temporairement les rides a des effets inquiétants. La toxine botulique, produite par la bactérie Clostridium botulinum, est un puissant poison. David Havas et ses collègues de l'Université du Wisconsin ont injecté la substance à des jeunes femmes dans des muscles précis du front utilisés dans l'expression d'émissions négatives. Ils leur ont ensuite demandé de lire des textes suscitant des émotions négatives. Or, ces femmes prenaient plus de temps pour comprendre le sens des phrases et en comprenaient entre 5 % et 10 % de moins. Si le botox est injecté dans les muscles autour de la bouche, c'est la compréhension des émotions positives qui est altérée. D'autres expériences d'imagerie cérébrale avaient démontré une réduction de l'activité de certaines zones du cerveau impliquées dans la perception des émotions. Que peut-on en conclure ? Les mouvements de ces muscles facilitent l'identification de l'émotion correspondante.

Source : www.cerveauetpsycho.fr et http://www.pourlascience.fr/ewb_pages/a/actualite-le-botox-rend-il-idiot-25827.php.

Cerveau & Psycho.fr Le magazine de la psychologie et des neurosciences

Chapitre 4
L'entrevue d'embauche

« Un regard est dans tout pays un langage. » – *George Herbert*

Imaginez la scène : vous passez plusieurs personnes en entrevue. Certains candidats sont intéressants, d'autres moins et, enfin, l'un d'eux attire davantage votre attention. Vous l'embauchez, mais trois mois plus tard, il vous remet sa démission. Le poste qu'il souhaitait réellement lui est désormais accessible, lui qui, pourtant, vous avait vanté son engagement envers votre entreprise. Quelle déception. Vous allez manger avec un ami et vous apprenez qu'un autre employé  nouvellement engagé n'a pas tout à fait réalisé les projets mentionnés en entrevue et qu'il a plutôt été l'instigateur de plusieurs conflits chez son ancien employeur. Inversement, peut-être vous est-il déjà arrivé de postuler à un poste et d'avoir un drôle de pressentiment au moment de l'entretien. Le poste décroché s'avère dans vos cordes, mais le climat de travail y est malsain et vous vous sentez coincé dans cet univers autocratique, hypocrite ou teinté de désaccords.

Que faire pour rendre l'expérience plus révélatrice pour les deux parties ? Être totalement présent dans la communication, authentique et à l'écoute de l'authenticité (et du manque d'authenticité) de l'autre. Car, après tout, l'objectif est d'avoir la bonne personne à la bonne place ! Encore récemment, on me citait une étude mentionnant que seulement 20 % des entrevues d'embauche permettent d'avoir l'employé qui convient réellement au poste...

Rappelons-nous que l'entrevue d'embauche survient habituellement après que l'entreprise ou l'organisation a affiché un poste, analysé des curriculum

1. Hypertonie ou hypotonie

En premier lieu, regardez le niveau de tension musculaire. Dans l'ensemble, le corps est-il tendu (hypertonique), normal (tonique) ou relâché (hypotonique)? Regardez les épaules, le torse, le cou. Est-ce que le tout est crispé, rigide, voûté, avachi? Est-ce que les déplacements sont fluides ou, au contraire, figés? Cette information vous démontrera, bien entendu, le niveau de stress, mais vous permettra d'évaluer dans quelle mesure les autres items seront décelables ou plus difficiles à repérer. Donc, pour définir la tonicité, observez bien ce qui suit:

- Est-ce qu'il y a des mouvements d'épaules?

- Est-ce qu'il y a des mouvements de bras et de mains? Sont-ils bas, hauts, amples ou restreints?

- Est-ce que la personne bouge sur sa chaise ou demeure immobile?

- Est-ce que les jambes sont détendues, croisées, collées ensemble?

- Est-ce que la tête est droite ou inclinée? Est-ce qu'il y a des mouvements de tête?

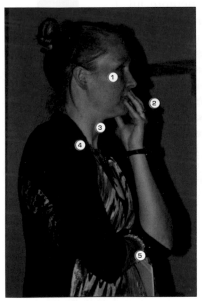

① Rougissement au niveau des oreilles et des joues: stress lié à l'image de soi

② Main gauche devant la bouche: retenue des propos, pas d'arguments forts à apporter

③ Crispation au niveau du cou: stress lié à la communication

④ Épaules figées: stress, vigilance, contrôle de l'image projetée

⑤ Bras droit en bouclier: protection, gestion du stress, retenue de la spontanéité (gauche par-dessus droit)

Gardez cette image en tête afin de noter les changements qui surviendront. Ce sont, rappelons-le, les modifications de plusieurs items dans la gestuelle, les microexpressions et la posture de base qui vont nous intéresser ainsi que le moment où ils surviennent.

2. Épaules

Y a-t-il une épaule plus haute que l'autre? Y a-t-il des haussements d'épaules et, si oui, de quel côté? Est-ce que l'une d'elles fait un mouvement non pas vers le haut, mais bien vers vous très rapidement? Les épaules sont-elles mobiles ou figées? Dans ce dernier cas, cela peut induire un stress important, un malaise, un mensonge, une difficulté de gestion émotive. Pour savoir si les épaules sont trop contractées ou non, regardez si l'individu a des haussements, surtout d'un seul côté. Si oui, alors cela implique qu'il y a une certaine souplesse. Il est impossible d'être à la fois en mouvement et contracté. Encore une fois, enregistrez ces informations dans votre mémoire. L'important sera de vérifier si, durant l'entrevue, il y a un changement à ce niveau. Sommairement, retenez les éléments suivants:

Épaule gauche surélevée:
stress émotif

Observations	Interprétations
Épaule gauche surélevée	Stress émotif
Épaule droite surélevée	Stress rationnel ou de performance
Haussement rapide de l'épaule gauche	Séduction, empathie émotionnelle
Haussement rapide de l'épaule droite	La personne se sent flattée
Avancement rapide de l'épaule gauche	La personne est en lien avec vous et peut souhaiter vous séduire
Avancement rapide de l'épaule droite	La personne souhaite vous convaincre, vous présenter ses arguments

Observez bien si une épaule s'est avancée ou si c'est plutôt l'autre qui s'est reculée. L'interprétation serait fort différente: intérêt versus retrait. Par ailleurs, si vous êtes assis à côté du candidat, les mouvements de son épaule la plus près de vous peut illustrer le lien, le désir de se rapprocher de vous, l'empathie et cela même s'il s'agit du côté droit. La mobilité de l'épaule la plus éloignée peut démontrer une volonté de convaincre ou une mise en doute des propos. Il y a donc là un biais environnemental et systémique à considérer dès le départ. Les démangeaisons de cette partie du corps amènent une autre dimension.

OBSERVATIONS	INTERPRÉTATIONS
Démangeaison sur la clavicule	La personne souhaite vous aider, par intérêt si c'est à droite (2.1) et par envie si c'est à gauche (2.2).
Démangeaison du trapèze droit (5.1)	La personne pense qu'elle a **intérêt** à prendre en charge bien qu'elle trouve ça lourd. Si elle le fait avec la main droite, c'est qu'elle y a bien réfléchi alors que la gauche implique qu'elle se sent proche de ce qui se passe.
Démangeaison du trapèze gauche (6.1)	La personne a **envie** de prendre en charge, mais hésite et trouve ça lourd. Si elle le fait avec la main droite, c'est qu'elle trouve cela très lourd, mais le fera alors que la gauche implique le besoin de peser le pour et le contre.
Démangeaison du haut de l'épaule droite (51.1)	La personne sent qu'il se passe quelque chose hiérarchiquement au-dessus d'elle et doit se méfier (main droite) ou se protéger sans se fermer (main gauche).
Démangeaison du haut de l'épaule gauche (61.1)	La personne veut soutenir et devra se surpasser. Elle se demande si elle est assez solide pour cela (main droite) et si ça va lui permettre de s'élever (main gauche).
Démangeaison de la face frontale de l'épaule droite (le côté – 51.2)	La personne a intérêt à prendre la responsabilité du mouvement qu'elle trouve lourd.
Démangeaison de la face frontale de l'épaule gauche (le côté – 61.2)	La personne a envie d'épauler.

Ce qu'il faut donc retenir des démangeaisons au niveau des épaules, c'est la notion de prise en charge, de responsabilité et de lourdeur. Le côté gauche indique l'**envie** de soutenir alors que le côté droit témoigne de l'**intérêt** à le faire.

Notez que lorsqu'une démangeaison survient (et elle peut apparaitre 10 secondes avant ou 15-20 secondes après la pensée initiatrice), c'est que quelque chose n'est pas verbalisé. Il est aussi bien important de faire la distinction entre une démangeaison qui entraîne un grattement et la microcaresse dont le geste est plus doux ou réconfortant.

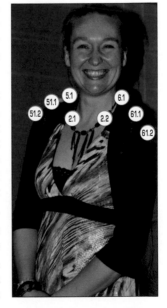

Les épaules sont un excellent indicateur de l'état d'esprit. Lorsqu'elles se figent, elles indiquent un malaise, un contrôle du discours, un stress intérieur. La symétrie revêt aussi son importance. Lorsqu'elle est présente, cela témoigne d'une ouverture et d'une spontanéité. Le contraire, c'est-à-dire quand il y a une nette différence entre les deux côtés dans la hauteur, rappelle le stress, le contrôle, la timidité.

Durant l'entrevue, prenez le temps d'examiner votre propre posture. Si une réponse vous dérange, l'hypertonie et la dissymétrie seront visibles sur votre corps et le candidat y réagira sans savoir ce qui fait que vous vous crispez. Observez-vous, remarquez les changements qui se produisent chez vous. Remémorez-vous les pensées profondes qui ont traversé votre  esprit pendant une fraction de seconde. Les réponses sont enfouies en vous. Qu'est-ce qui vous interpelle et pourquoi? Réfléchissez. Revoyez le fil de vos idées, de vos perceptions, de votre discours intérieur. Faites-le avec humilité. Votre corps ne ment pas. C'est même un puissant communicateur. Quand vous aurez mis le doigt sur ce que cela suscite en vous, rappelez-vous que vos émotions vous appartiennent. Ce n'est pas l'autre qui vous fait réagir, c'est plutôt ce que ses paroles ou son non-verbal évoquent en vous. Une fois que vous aurez trouvé, soyez authentique et indiquez clairement votre malaise ou votre difficulté de compréhension. Faites-le de façon constructive avec un réel désir de créer une relation de confiance. L'entrevue n'en sera que plus riche.

Le plus grand choc du synergologue, c'est de prendre conscience de ses propres non-dits, camouflages et malaises.

3. Axes de tête

Nous examinerons les axes de tête plus en détail dans le prochain chapitre, mais j'aimerais qu'à ce stade vous regardiez si votre candidat a une tête totalement droite ou très légèrement inclinée. Vers l'épaule gauche, cela implique de la douceur, alors qu'à droite, il est plutôt question de vigilance ou de rigidité.

Enfin, avec quel œil vous regarde-t-il davantage? C'est-à-dire quel côté du visage est davantage orienté vers vous. Pour le savoir, demandez-vous quelle oreille vous est la plus visible pour vous. S'il s'agit de la droite, alors le candidat vous parle de quelque chose de très rationnel ou il contrôle son discours ou il souhaite vous convaincre. Si l'œil gauche est avancé alors il demeure dans le lien. La prochaine fois que vous regarderez les nouvelles, observez les présentateurs. L'œil gauche est avancé lorsqu'ils parlent de sujets agréables ou qui les intéressent, mais l'orientation changera quand un thème plus dur sera abordé.

Si, durant la majeure partie de l'entretien, la tête demeure immobile, osez demander à la personne si elle a mal au cou. Parfois, le simple fait de poser la question fait prendre conscience de la rigidité liée au stress de performance.

Sachez qu'une étude a mis en lumière le fait que lorsque la tête va vers l'interlocuteur ou que le regard s'oriente vers les yeux de l'autre, les propos sont plus doux et plus sincères.[38]

■ Anecdote 3

Je me souviens d'un entretien réalisé avec une dame qui avait occupé de hautes fonctions de gestion. L'ennui et surtout le risque accru de compressions budgétaires la poussaient à protéger ses arrières et donc à dénicher un nouvel emploi. Elle a postulé un poste dans une petite entreprise de la Rive-Sud de Montréal. Or, quand elle parlait des patrons, son non-verbal se montrait correct. Mais lorsqu'elle abordait le sujet des employés, ses épaules s'immobilisaient un tant soit peu, sa bouche se pinçait lors de la prononciation de certains termes et une moue étrange apparaissait, très légère il est vrai, cependant perceptible pour un œil de synergologue. Mais ce qui était le plus frappant, c'était le changement de l'axe de tête. Elle utilisait le mot «subordonnés» et, à chaque fois, son menton se relevait et sa tête s'inclinait sur la droite. Cette tendance à adopter une attitude supérieure et vigilante a attiré mon attention. Je l'ai questionnée sur sa manière d'intervenir lors des conflits, sur sa façon de mobiliser les troupes, sur ses valeurs. Je l'ai fait tout en douceur, car mon objectif demeurait de favoriser l'authenticité. Ses réponses ont été éloquentes et ont permis à mon client de nommer son inconfort vis-à-vis d'elle : elle avait toujours eu des moyens financiers aisés et ne comprenait nullement les craintes des employés à faible revenu. Leur besoin de sécurité lui semblait anodin, ridicule. Or, c'était justement ce à quoi elle allait être confrontée. Il aura suffi de quelques items non-verbaux pour poser les bonnes questions et ainsi éviter une erreur de recrutement.

B. Démarche

À l'Université du Massachusetts[39], des chercheurs ont découvert que nous sommes capables, en observant sa démarche, d'identifier le statut social d'un individu, son sexe, sa capacité de reproducteur, voire certains aspects de son tempérament, sa vulnérabilité et son état émotionnel. Comment cela est-il possible? Tout simplement parce que, dans une société ancestrale dépourvue de langage,  l'être humain à la recherche d'un partenaire pour se reproduire devait reconnaitre, rapidement et de loin, le sexe ainsi que le statut social de l'autre : est-ce un individu dominant ou non?

Qui plus est, toujours selon la même étude[40], les hommes ont des mouvements d'épaules plus amples alors que, chez les femmes, c'est davantage au niveau des hanches. L'avancement en âge ralentit le mouvement et réduit l'amplitude ainsi que la souplesse. Jusqu'ici pas de surprise, avouons-le.

L'expérience a mis en lumière le fait que certaines démarches sont perçues comme étant vulnérables et donnent l'impression que les marcheurs sont davantage à risque de se faire agresser : petites enjambées, faible balancement des bras et prudence dans la manière de poser le pied sur le sol. De grandes enjambées, un balancement des bras ample et un contact résolu du pied sur le sol dissuaderaient les agresseurs.

Or, les victimes sont en effet choisies en fonction de leur démarche par les psychopathes qui détectent rapidement la vulnérabilité et la facilité qu'ils auraient à les agresser ![41] C'est donc qu'ils voient quelles personnes leur donnent l'impression qu'ils pourront réussir leurs méfaits. Des psychologues de l'Université de Tokyo[42] ont établi un lien entre la façon de marcher de certaines femmes et les agressions survenues dans leur vie.

En outre, au cours de l'expérience[43], les chercheurs ont remarqué que les femmes ayant une démarche dite vulnérable ont des pointages plus faibles en ce qui a trait aux aspects de sociabilité (se tiennent en retrait, peu enclines à engager la conversation, moins à l'aise en société, plus timides), d'optimisme (elles croient que les choses vont mal tourner) et de maîtrise de soi (peu de contrôle sur les situations, peuvent laisser les autres prendre les commandes).

La façon de marcher est aussi tributaire de la concentration sanguine de certaines hormones. En période d'ovulation, les jeunes filles prennent plus de temps pour parcourir la même distance que les autres femmes et la démarche est plus attirante sexuellement, plus ondulante et avec des mouvements du bassin plus suggestifs[44].

L'équipe de l'Université de Mayence, en Allemagne[45], a mené une autre expérience. Elle a filmé des étudiants à qui elle a demandé de marcher en s'imaginant angoissés, tristes, heureux ou d'humeur neutre, ou chez qui elle a provoqué de tels états par l'écoute de certains

types de musique. Des spectateurs ont ensuite analysé les vidéos et ont réussi à diagnostiquer chacun de ces états.

Ajoutons que le port de talons aiguilles entraîne une féminisation de la démarche[46]. Les femmes se trouvent en effet plus attirantes et elles sont perçues ainsi. Pour mener l'expérience, des chercheurs ont utilisé la technique des points lumineux, c'est-à-dire qu'ils ont filmé les gens sur lesquels ils ont installé des capteurs afin de bénéficier d'une analyse plus objective puisque les spectateurs ne voient que les signaux des capteurs et non le corps des femmes.

Alors la démarche, comment est-elle? Rapide, lente, légère, lourde? Les pieds sont-ils orientés vers l'avant ou tournés vers l'extérieur. Ont-ils la même ouverture? Le pied gauche indique le dévoilement de soi et le droit l'ouverture aux autres. Personnellement, mon côté droit est plus ouvert, mais le gauche est plus droit. Je ne fais pas facilement confiance et je ne me confie pas trop vite, mais j'écoute beaucoup et je m'intéresse aux gens. Quand je suis plus à l'aise, mon pas change. Est-ce que la personne semble se dandiner de gauche à droite (un peu bonasse) ou a-t-elle plutôt un port très altier (fierté)?

Une démarche dans laquelle le mollet est plus actif devient sautillante. Le poids est transféré vers la plante du pied, ce qui déséquilibre le corps et le pousse à accélérer son déplacement. Il est plus facilement déstabilisé étant donné l'appui moindre sur le talon. C'est le genre de démarche indiquant une énergie ponctuelle, une personnalité capable de prendre des décisions très rapides, «se retourner sur une dix cents», comme on dit.

Une démarche où les cuisses sont plus actives donne un pas plus lourd, un peu plus lent, un corps plus droit et des pieds plus ancrés. Elle témoigne d'une énergie durable, d'une force, d'une personnalité qui prend plus de temps avant de se décider, mais une fois le choix fait, aucun obstacle ne l'arrête. La personne peut prendre des responsabilités importantes. L'une comme l'autre sont intéressantes.

Notez que la démarche varie selon notre état. Personnellement, je marche du talon, signe d'une énergie forte. Je suis inconfortable dans une démarche du mollet puisque je ne me sens pas ancrée au sol. Quand je suis en colère, mon pas devient encore plus lourd et plus rapide. On «m'entend» arriver! Quand je ne suis pas sûre de ce que j'ai à faire, mon pied se fait discret, incertain, déséquilibré.

■ *Anecdote 4*

Il y a plusieurs années, j'ai passé un homme en entrevue pour un poste de gestion. En entrant dans la salle, je n'ai pu m'empêcher de constater qu'il se dandinait en marchant, que ses deux pieds étaient très largement ouverts (supination), mais que son pas était lourd avec davantage de poids d'un côté. Sa poignée de main était fuyante. J'avais donc quelques items m'indi-quant un aspect de sa personnalité plus bonasse, très orientée vers les autres sans trop s'engager et donc moins en protection de lui-même. Je l'ai alors questionné sur sa capacité à dire non, à recadrer des employés parce que je savais pertinemment que ce serait nécessaire dans les fonctions convoitées. Je voulais savoir s'il admettrait cette difficulté et allait demander de l'aide. L'entretien a permis de réaliser qu'il n'aimait pas du tout le rôle de gestion-naire, qu'il était malheureux dans ce type de poste et qu'il se plaisait beau-coup plus dans celui d'un analyste.

■ *Anecdote 5*

Il y a plusieurs années, pour des raisons personnelles, j'ai dû manquer une séance de formation de synergologie. Afin que je puisse suivre le groupe, il m'a été proposé de faire un cours privé. Une synergologue est donc venue me rencontrer. Mon conjoint de l'époque se trouvait chez moi à ce moment-là et il n'est passé près de nous qu'une seule fois pour prendre quelque chose dans le frigo. Dès qu'il est reparti vers le salon, la synergologue m'a demandé comment il allait, car elle avait remarqué le blocage des hanches dans la démarche, l'orientation rectiligne des pieds, la position fermée des mains durant le déplacement, l'affaissement des épaules, le sampaku de l'œil droit (blanc). Elle avait raison, il était en dépression. Il ne lui a fallu que deux minutes pour le comprendre.

C. Poignée de main

Christian Martineau[47] mentionne que «la hauteur des gestes (élé) est en entière corrélation avec la satisfaction (faction)». Ainsi, plus on est content, plus on tape des mains en hauteur. Moins on a apprécié ce que l'on a vu et plus nos  mains sont basses. Il en est de même avec la poignée de main. Quelqu'un qui vous offre une main à la hauteur du ventre, ça va. Plus bas, ça dénote un inconfort, un manque de confiance en soi, une timidité.

En revanche, une poignée qui arrive de haut et qui «tombe» littéralement dans votre main peut aussi représenter une façon d'établir son territoire, de démontrer qui mène, de tenter de dominer... surtout si la seconde main vient agripper le bras. Il est alors important de regarder si les pieds sont bien ancrés au sol ou si le poids est transféré vers l'arrière comme

Une poignée de main descendante et rigide témoigne d'un besoin d'établir son autorité, de contrôler, de dominer. Une main détendue illustre la confiance et l'ouverture.

s'il était déjà prêt à partir. Enfin, le corps est-il orienté vers l'interlocuteur ou il est plutôt un peu de profil? Une poignée de main avec laquelle le coude est plié obligeant l'autre à s'approcher de vous indique que vous l'amenez à entrer dans votre univers, vous forcez une proximité. L'autre peut y réagir positivement ou négativement en allongeant son bras pour «créer» une distance.

① Axe rotatif droit : vigilance

② Bouche fermée : ne désire pas parler.

③ Épaule droite plus haute : stress de performance

④ Main gauche inactive : malaise

⑤ Poignée ferme : affirmation, engagement

⑥ Poids vers l'arrière gauche : fuite

⑦ Pied gauche vers l'extérieur : prêt à partir

⑧ Axe rotatif droit : vigilance

⑨ Haussement du sourcil droit : mise à distance

⑩ Contraction du cou : malaise dans la communication

⑪ Posture de profil : non engagement dans le geste

⑫ Poing fermé : inconfort, stress

⑬ Bras droit très allongé : mise à distance

⑭ Deux pieds vers l'extérieur : désir de partir.

D. Quadrants du regard

Le regard est une clé synergologique importante qui s'analyse sous forme de quadrants et qui schématise le mouvement des yeux lors d'une conversation. À priori, cet élément peut sembler bien banal, mais, dans les faits, il révèle plusieurs informations sur le dialogue intérieur de l'interlocuteur. Philippe Turchet[48], fondateur de la synergologie, mentionne que, pour bien saisir ce qu'ils dévoilent, il faut observer trois phénomènes : le mouvement, la zone vers laquelle se dirige le regard et enfin, le clignement de paupières.

1. Le mouvement des yeux

Les yeux bougent presque tout le temps. Il importe donc d'être attentif à ce qui est dit au moment où ils se déplacent dans une direction. Lorsqu'un sujet ou des contenus particuliers touchent un interlocuteur, les yeux vont se situer vers un endroit précis. C'est à ce moment-là qu'il faut bien observer ce qui est dit en conjonction avec la zone où se déplacent les yeux. Il faut aussi tenir compte des éléments systémiques, car l'environnement et les mouvements périphériques influencent la direction du regard.

Deux synergologues, Annick Millette et Sylvie Pilon[49], ont rencontré des clients ayant eu un AVC se résultant par une héminégligence gauche. Malgré ce peu de conscience du cerveau pour ce qui se passe à la gauche du corps, lorsqu'ils parlent du passé, le regard des clients se situe tout de même dans ce quadrant.

2. Le regard horizontal

Tout d'abord, il faut savoir que, exception faite de la culture arabe[50], la majorité des gens ont appris à écrire de la gauche vers la droite. Cet apprentissage originel conditionne les gens à situer les événements relatifs au passé à leur gauche et ceux du futur vers leur droite.

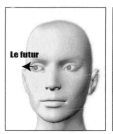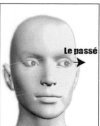

Sources : Turchet et associés, synergologues

Faites l'expérience suivante : demandez à un proche de vous parler de son passé, d'un souvenir d'enfance et observez où va son regard. Demandez-lui de vous expliquer comment il voit quelque chose dans le futur, un prochain poste, une retraite éventuelle et vous observerez de quel côté vont principalement les yeux.

3. Le regard vertical

Le regard vertical identifie le passage entre la pensée et les émotions, ce qui donne des indices indiquant la source de ses propos : l'intellect ou le cœur. En s'appuyant sur la logique, la pensée, l'intellect et le rationnel, les yeux se dirigeront vers le haut, dans la zone cognitive comme pour s'abstraire de la réalité. À l'inverse, en faisant appel à des émotions, des souvenirs intimes et personnels ou à l'histoire intérieure, cela amènera le regard à s'orienter vers le bas dans la zone émotive comme pour revenir en soi.

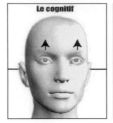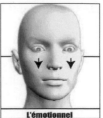

Sources : Turchet et associés, synergologues

Faites l'expérience suivante : demandez à un proche de vous parler d'éléments de contenu, d'informations précises et observez où va son regard.

Poursuivez et demandez à ce proche de vous parler d'un élément sensible comme la personne qu'il a aimée, un parent, un ami et observerez où va son regard. Dans les deux cas, la logique haut / bas s'applique, en haut pour le cognitif et en bas pour l'émotif.

Paul Ekman[51] indique que le regard va vers le bas lors des émotions de honte et de culpabilité, mais se détourne en cas de dégoût.

4. Le clignement de paupières

Physiologiquement, le clignement de paupières sert à humecter l'œil et à en retirer les poussières qui s'y déposent. Il existe trois types de clignements : le clignement spontané d'une durée d'environ 1/15e de seconde qui permet l'étalement du film lacrymal, le clignement réflexe qui est très rapide (4/100 s) et sert de protection, se déclenchant soit à l'approche d'un objet, au frôlement des cils, lors d'un bruit intense et soudain ou à l'apparition d'une lumière vive. Et, finalement, le clignement volontaire qui est mono ou bilatéral, mais lent comme le clin d'œil complice. On observe qu'une personne a entre 15 et 20 clignements de paupières par minute (jusqu'à 50 avec l'anxiété[52]) ce qui donne entre 10 000[53] et 30 000[54] clignements par jour.

Durant une conversation, le clignement de paupières survient aussi lorsque le cerveau emmagasine de l'information. Ainsi, si la personne est captivée ou très attentive, le clignement sera plus fréquent. En effet, une étude japonaise a permis de mettre en lumière que le clignement permet au cerveau de se reposer un court instant afin de se reconcentrer sur la tâche.[55]

Par contre, lorsque la personne revient dans son monde intérieur, qu'elle se coupe de son environnement, son regard se fixe et le clignement peut cesser. À ce moment-là, la personne a décroché

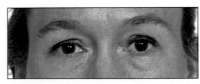

de vos propos ou elle prépare intensément sa réplique sans vraiment soupeser le poids de vos arguments. Elle est dans son discours ou elle est sur le pilote automatique. En d'autres termes, il n'y a plus de son, plus d'image… vous parlez dans le vide.

Philippe Turchet mentionne que le clignement de paupières varie selon que l'individu s'exprime de façon véridique ou mensongère. En effet, la vérité demande moins de ressources cognitives que le mensonge. Ainsi, lorsqu'une personne ment, elle cligne moins des paupières durant son affirmation alors qu'elle est concentrée sur ce qu'elle dévoile, mais beaucoup plus tout de suite après son mensonge, par compensation, pour se libérer. Des entrevues célèbres ont permis d'observer dix fois plus de clignements après le discours. Du jamais vu lorsque la personne dit la vérité[56]. Le synergologue Dany Martineau-Lavallée[57] a observé, lors d'une expérience, plus de clignements des paupières lorsque le participant est authentique dans sa communication que lorsqu'il raconte un mensonge.

Par ailleurs, quand quelqu'un a fini de parler, la bouche demeure entrouverte lorsqu'il dit la vérité, mais se clôt fortement lorsqu'il ment. Rappelons qu'il est important de considérer plusieurs items en même temps avant d'émettre une hypothèse.

5. La dilatation des pupilles

La dilatation est un réflexe involontaire produit par le système nerveux autonome. Elle ne peut donc pas être contrôlée. Accompagnée d'une augmentation du clignement, elle témoigne que le sujet est ému ou ressent une pulsion : désir
sexuel, peur, colère. Elle peut être un item intéressant pour la détection du mensonge. Mentionnons que, en 1965, E.H. Hess[58] avait déjà établi le lien entre la dilatation des pupilles et la séduction.

6. Les précautions systémiques et environnementales

Il importe d'être prudent dans les déductions. Il faut tenir compte a priori d'éléments importants : les précautions systémiques et environnementales. Tout d'abord, il y a le mouvement naturel des yeux. L'œil roule dans son orbite sans schéma précis, sauf au moment où quelque chose d'important est dit. Comme le signale Philippe Turchet, il faut être attentif à l'item qui sort de l'ordinaire et c'est à ce moment que l'observation est utile et significative.

Ensuite, il y a les sources de lumière.[59] En effet, le regard est facilement attiré par le soleil, les fenêtres, les grands espaces. Christian Martineau et Christine Gagnon[60] mentionnent que «la lumière aide l'esprit à collectionner les informations et de les traiter» alors que les espaces vastes lui permettent de s'évader, de fuir le dialogue ou de s'y lasser et se détendre. Ce sont, en quelque sorte, des zones de confort de la pensée. Ainsi, lors d'une discussion difficile à caractère émotif, ne soyez pas surpris de voir la personne regarder sporadiquement par la fenêtre.

Par ailleurs, il peut arriver que le regard de l'autre se dirige dans une direction qui puisse vous apparaitre contradictoire au sens des propos tenus. Si la personne se sait observée ou même filmée, cette attention ou la présence de la caméra intimident beaucoup et peu de gens sont à l'aise avec ces situations. Un individu qui passe dans le champ de vision peut aussi attirer le regard tout comme un bruit, un flash, un mouvement. Il faut donc être très attentif aux facteurs systémiques et environnementaux.

7. Quelques clés synergologiques

Rappelons les éléments de base :

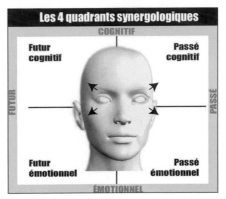

- regard vers la gauche : passé

- regard vers la droite : futur

- regard vers le bas : émotionnel

- regard vers le haut : cognitif

- regard en bas à gauche : passé émotionnel

- regard en bas à droit : futur émotionnel

- regard en haut à gauche : passé cognitif

Sources : Turchet et associés, synergologues ; campus synergologique

- regard en haut à droite : futur cognitif

Lors d'une entrevue ou d'une rencontre de coaching, en tout premier lieu, il faut bien situer les précautions systémiques et environnementales afin d'éviter des déductions malheureuses. Un interlocuteur qui sert un discours cherchera ses idées, ses mots, construira sa logique en regardant généralement en haut vers la droite. Il en est de même pour l'élaboration d'un mensonge, à moins que celui-ci n'ait été raconté à maintes reprises. À ce moment, l'œil est droit, sec avec peu ou pas de clignements de paupières[61].

Un interlocuteur qui relate des évènements, qui fait appel à sa mémoire, à des souvenirs précis regardera généralement en haut vers la gauche avant de ramener ses yeux vers l'interlocuteur. Il s'appuie donc sur son passé pour vous informer. Il ne fuit pas votre regard, il cherche dans ses souvenirs.

Un interlocuteur qui tente de se situer dans un contexte à venir, qui évalue l'impact d'une situation sur lui découlant, par exemple, d'un changement organisationnel cherchera ses idées, ses mots, construira sa vision en regardant généralement en haut vers la droite tout en allant chercher des informations dans son cognitif droit.

Un interlocuteur qui relate des évènements personnels, une histoire qu'il a vécue, une expérience, une souffrance, une peine ou un deuil regardera généralement en bas vers la gauche avant de ramener ses yeux vers l'interlocuteur.

Une personne qui emmagasine de l'information, qui écoute attentivement, qui est intéressée cligne davantage des paupières alors qu'une personne qui n'écoute pas ou qui a décroché vient comme dans la lune, cligne peu ou pas des paupières.

Une personne mal à l'aise cherchera du regard des points de fuite autour d'elle, tels qu'une fenêtre, le plafond ou un ornement particulier. Attention, ça ne signifie pas qu'elle ment. Elle peut simplement être inconfortable avec l'émotivité de la discussion, le fait de traiter d'un sujet qui ne la concerne pas, etc. Le même mouvement des yeux pourra se produire lorsqu'une personne s'ennuie.

Le clignement des yeux s'accélère lorsque les émotions sont présentes et vives. Par contre, en état de vigilance, le clignement cesse, le regard se focalise. Les synergologues appellent cet état la micro fixation.

■ *Anecdote 6*

Un jour, un client m'a demandé de rencontrer avec lui un possible futur associé. Nous sommes donc allés au restaurant. Au début de l'entretien, le «prospect» s'est montré très convainquant. Il avait le corps avancé, était loquace, regardait droit dans les yeux en présentant son œil gauche. Ses mains étaient actives dans la conversation et les poignets paraissaient souples. Je ne percevais aucune rigidité particulière, aucun réel contrôle du discours. Mais quand mon client lui a demandé comment allait sa conjointe, son regard s'est sauvé vers la fenêtre. À cela s'est ajouté un haussement de l'épaule gauche, un mouvement de la main indiquant une certaine mise à distance du sujet, un pincement de la bouche, un rétrécissement de l'ouverture de l'œil gauche. Sur le coup, je me suis dit qu'il était possible que ce ne soit pas une bonne période pour son couple, sans plus. Cependant, le même phénomène s'est produit lorsqu'il fut question de ses enfants, de santé et... de ses liquidités. Là, j'ai compris que ça n'allait pas du tout, qu'on avait affaire à quelqu'un qui avait besoin de sortir de son milieu de travail et que c'était urgent. Il ne voulait pas dévoiler ce qui le rendait si nerveux. J'ai suggéré à mon client d'attendre, de se donner un temps de réflexion. Deux semaines plus tard, nous apprenions que l'homme en question était en arrêt de travail suite à une importante opération qui a nécessité une très longue convalescence.

E. Concrètement, dans la vraie vie

Concrètement, qu'est-ce qu'on fait avec tout cela? Tout d'abord, la première question à se poser est : que cherchez-vous? Un leader ou un exécutant? Et avant de répondre, rappelez-vous, comme disait ma grand-mère, que si vous avez trop de chefs et pas assez d'Indiens, le travail ne se fera pas. Voulez-vous quelqu'un d'autonome ou qui va suivre les règles à la lettre, qui va chercher de nouvelles façons de faire ou qui va faire comme vous voulez que le travail soit fait? Voulez-vous un influenceur ou une force tranquille qui consolide l'équipe par son écoute et son calme? Voulez-vous quelqu'un avec plein d'énergie ou quelqu'un de plus doux? En fonction du travail, mais aussi du supérieur immédiat et des collègues, que recherchez-vous?

Une fois votre besoin clairement établi, observez bien. Il est normal que le candidat soit stressé en entrevue, mais la poignée de main demeure la même. On ne passe pas d'une poigne solide à un toucher du bout des doigts selon notre humeur. Ce qui varie, c'est la température de la main, l'importance de la contraction musculaire et surtout, le reste du corps : la position des pieds, l'axe de tête, le transfert de poids, etc.

La poignée de main donne l'indication sur le niveau d'engagement de la personne, le taux de stress, l'intérêt à converser ou non avec vous, etc. Je me souviens d'un représentant en ventes dont la poignée de main ne serre que les doigts sans la paume. Il vend ce que d'autres produisent. Ce n'est pas lui qui livre la marchandise. Il ne s'engage pas personnellement... (et il est ainsi dans sa vie privée aussi). Par contre, il se penche vers l'autre quand il serre la main, il regarde avec son œil gauche et ses épaules sont détendues : il est dans le lien, à l'écoute des besoins de l'autre, intéressé par ce que l'interlocuteur lui dit. En tant que recruteur, ça me convient très bien. Je ne veux pas d'un vendeur qui est trop attaché à son produit parce qu'il n'aurait plus le recul nécessaire pour préserver la relation de confiance sans tomber dans la vente à pression sans s'offusquer des refus et des critiques. Je veux quelqu'un qui sait créer de bons liens, avec qui les clients sont à l'aise et qui saura flairer l'angle d'approche le plus approprié.

Si, dès le départ, votre candidat vous regarde avec son œil droit, n'a pas les épaules face à vous durant la poignée de main et se libère très vite de votre paume, il importe de le questionner sur son niveau de stress et son intérêt pour le poste dans son cheminement de carrière. Le reste de l'entrevue révélera beaucoup de choses si vous êtes attentif.

Si, au bout de plusieurs minutes, son épaule droite est nettement plus haute que la gauche, que son œil droit est plus petit que le gauche, que ses mains sont jointes mais qu'il reste penché vers vous pour parler, offrez-lui un verre d'eau ou un café et demandez-lui depuis combien de temps il n'a pas fait d'entrevue. Peut-être a-t-il de la difficulté à gérer son stress. Je me souviens d'un candidat présentant ces items. Je lui avais demandé ce qui, actuellement, le stressait le plus. Il a avoué avec sa femme voulait demander le divorce s'il ne trouvait pas rapidement un autre emploi moins envahissant que le précédent. Il n'avait pas fait d'entretien d'embauche depuis 12 ans. Il avait besoin de ce job et ça se sentait de façon désagréable. Il avait peur des conséquences s'il échouait. Je l'ai fait parler. J'ai pris le temps de le faire rire. Il s'est détendu, a fait une excellente entrevue... et a obtenu l'emploi.

Par contre, si en plus des items précédents, ses clignements de paupières cessent ou diminuent drastiquement quand il répond à une question, que ses épaules sont immobiles, que sa main gauche se cache sous la table, que sa bouche se referme dès que la réponse est donnée, posez des questions auxquelles il ne s'attend pas. Il contrôle trop son discours et est en mode vigilance. Quelque chose cloche. Sur votre chaise, changez de position, bougez, détendez-vous et posez plus de questions. Faites-le parler de lui, de son parcours, de ce qui l'a amené vers certains choix, sur ce qu'il ferait différemment si tout était à refaire. Amenez-le à plus de spontanéité. Une vigilance persistante, ça demande beaucoup d'énergie. Même les gens qui ont été absents du marché du travail en raison d'une incarcération, d'une dépression, etc. finissent par se détendre. Mais il arrive que des situations étranges surviennent. Je me souviens d'un candidat qui espérait mettre la main sur le contenu de la pharmacie et une autre qui a reconnu un agresseur parmi les recruteurs...

Si vous êtes le candidat

Si vous passez une entrevue d'embauche, alors vous souhaitez savoir si vous êtes cru, si les gens apprécient ce qu'ils entendent et si vous avez su les convaincre. Par ailleurs, vous aimeriez vérifier si le supérieur immédiat correspond lui aussi à vos attentes, si le milieu de travail est sain, si l'on vous dépeint une situation près de la réalité ou largement enrobée.

A. Différents sourires

L'une des expressions faciales les plus courantes est certes le sourire. Or, selon Paul Ekman[62], elle est probablement la plus sous-estimée et, trop souvent, les gens sont bernés par de faux sourires.

Mais avant d'entrer dans le vif du sujet, rappelons-nous quelques éléments. Tout d'abord, sachez que les émotions feintes n'activent pas les mêmes zones cérébrales ni les mêmes parties du visage que les émotions réelles[63]. En effet, quand il s'agit d'une simulation d'émotion, l'hémisphère gauche est actif et tente de contrôler les réactions.[64] Lors d'une émotion spontanée, les deux côtés du visage réagissent et collaborent à l'expression émotionnelle. Or, adopter une expression entraîne les changements physiologiques qui accompagnent habituellement l'émotion réelle[65]. Ainsi, l'action de sourire pousse le cerveau à déclencher les réactions neurophysiologiques du bonheur.

Revenons au sourire. Paul Ekman[66] en suggère toute une liste : sourire de peur, méprisant, atténué, malheureux, séducteur, embarrassé, Chaplin, modificateur, d'acquiescement, de coordination, de réaction d'écoute. Christopher Brannigan et David Humphries[67], deux chercheurs britanniques, en identifient neuf types dont trois sont très répandus :

- Le sourire simple : fait à soi-même (ex. : quand on observe quelque chose ou que l'on réfléchit) ou pour conclure une conversation.

- Le sourire photo ou professionnel : faux sourire (non sincère) volontaire impliquant le muscle zygomatique majeur, signe de bienvenue, de politesse ou d'accueil.

- Le sourire sincère : implique le muscle zygomatique majeur et l'orbiculaire (autour de l'œil). Il traduit une émotion authentique.

Le Dr Ewan C. Grant de l'Université de Birmingham[68] a, pour sa part, identifié cinq sourires dont voici les significations respectives :

- Sourire simple : survient quand quelqu'un est tout bonnement heureux par lui-même. Les coins courbent vers le haut et les lèvres restent ensemble. Les dents demeurent cachées.

- Large sourire : associé au rire, au jeu, se produit dans les situations agréables. Les incisives supérieures et inférieures sont exposées et les yeux participent.

- Sourire supérieur : seules les dents supérieures sont visibles et la bouche est légèrement ouverte.

- Sourire obligé : semblant de sourire, fait pour être poli. Les lèvres sont étirées vers l'arrière.

- Sourire inférieur : se voit chez les gens qui accompagnent quelqu'un. Il ressemble au sourire obligé sauf que la lèvre inférieure est appuyée sur les dents. La personne se sent inférieure à la personne qu'elle accompagne.

Il importe de retenir que les sourires feints se distinguent généralement par la non-participation de muscles fiables difficilement manipulables consciemment, soit ceux du front et des yeux. Donc, la fente palpébrale (l'espace entre les paupières) demeure fixe et ne remonte pas ; il n'y a pas de plis sous les yeux et pas toujours de pattes-d'oie.

Lorsqu'il est sincère, le sourire entraîne l'apparition de ridules au coin des yeux et fait remonter les fentes palpébrales. Les yeux semblent petits, presque fermés. La commissure des lèvres est remontante des deux côtés et la bouche est en extension. Il y a absence de plis dans le front et entre les sourcils. Il peut y avoir un léger axe latéral gauche et, très souvent dans un vrai sourire, la bouche s'ouvre. Rappelons qu'il s'agit d'une émotion tonique, positive, exocentrée, donc dirigée vers les autres.

① Léger abaissement du sourcil

② Fentes palpébrales remontantes

③ Plis sous les yeux

④ Bouche ouverte

⑤ Lèvres plus rouges

⑥ Position avancée

⑦ Mains détendues

⑧ Symétrie du visage

⑨ Aucun pli dans le front

⑩ Ridules au coin des yeux

⑪ Léger axe rotatif gauche

⑫ Relèvement des joues

⑬ Commissures des lèvres remontantes

Une étude de l'Université du Nouveau-Mexique[69] stipule que le fait de sourire serait interprété comme une attitude de soumission. Les chercheurs ont constaté que les mannequins et les footballeurs réputés sourient moins que leurs collègues moins connus. Ils en ont conclu que le sourire est associé au plus faible statut. Mentionnons que d'autres facteurs pourraient être pris en compte : le désir de charmer pour se faire une place, la moins grande désillusion face aux rançons de la gloire, le fait d'être moins exposé aux critiques journalistiques et amateures, etc.

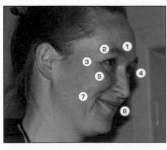

FAUX SOURIRE

① Crispation entre les sourcils

② Œil non lumineux

③ Rides peu prononcées au coin de l'oeil

④ Aucun clignement de paupières

⑤ Fente palpébrale non remontante

⑥ Bouche fermée

⑦ Lèvres étirées

Par ailleurs, le sourire diminue les effets du stress. En effet, des chercheurs[70] ont constaté que, lors d'une expérience, les participants à qui on demandait de sourire se remettaient plus facilement du stress provoqué par les activités que ceux qui gardaient une expression neutre. Et plus le sourire est franc, moins il y a de stress. Chez les jeunes ayant des comportements agressifs, des chercheurs[71] ont démontré que l'on peut modifier les préjugés dans la reconnaissance des émotions. Si on leur apprend à mieux lire les expressions faciales et à voir les visages ambigües non pas comme étant de la colère mais bien du bonheur, ils auront moins de comportements agressifs.

Par ailleurs, une équipe de l'Université de Californie à San Diego[72] a démontré que les gens qui se sentent puissants sourient davantage aux gens de condition sociale jugée inférieure à la leur. En position d'infériorité, ils sont avares de sourires. Ceux qui ne se perçoivent pas comme faisant partie d'un groupe dominant rendent le sourire à tout le monde. Le tout se fait sans s'en rendre compte. En fait, nous imitons inconsciemment les expressions de nos interlocuteurs, dont le sourire, en raison de l'empathie mais aussi selon notre perception des rapports sociaux. Ainsi, ceux qui se sentent puissants répètent les froncements de sourcils de ceux qu'ils jugent supérieurs, mais pas de ceux qu'ils jugent inférieurs. La colère est-elle donc plus contagieuse qu'un sourire?

Examinons le sourire ci-haut. Les commissures ne remontent pas, elles s'étirent vers l'arrière. Il n'y a pas de participation des épaules, des yeux, des sourcils. C'est un sourire feint, figé et les yeux nous révéleront plus d'information encore (prochain thème).

B. Différents yeux

Paul Ekman estime pouvoir distinguer 80 % des mensonges simplement en analysant le visage. Il est vrai que cette partie du corps est très révélatrice des pensées et des émotions qui traversent notre esprit. Lorsque je travaillais en communication, j'étais souvent stupéfaite de voir la dissymétrie des yeux sur les photos professionnelles. Je me demandais ce qui pouvait causer ce phénomène.

Tout d'abord, rappelons de nouveau que l'hémisphère gauche du cerveau gère la partie droite du corps et, inversement, l'hémisphère droit s'occupe du côté gauche de notre corps. L'expression d'une émotion et des états corporels est universelle. Elle n'est tributaire ni de la culture, ni de l'origine ethnique, ni de l'éducation. Or, selon Philippe Turchet, les émotions viennent affecter directement l'ouverture de l'œil. L'horizon de sens général est cependant simple : le côté gauche témoigne de la réaction émotive de la personne et le droit de la réaction rationnelle. L'ouverture illustre l'intérêt. La fermeture indique généralement un stress. Or, il faut une base de référence pour comprendre qu'il s'agit de la fermeture d'un œil ou de l'ouverture de l'autre œil ! Est-ce que l'un est plus fermé ou est-ce l'autre qui est plus ouvert ? Pour le savoir, il faut établir une base de référence, donc identifier comment sont les yeux habituellement. La visibilité soudaine du blanc de l'œil (sampaku) montre la peur ou la colère. Lorsqu'elle perdure dans le temps, alors elle dévoile des bouleversements intérieurs plus profonds.

L'œil droit est-il plus fermé ou l'œil gauche est-il plus ouvert ?

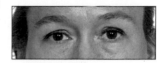

OBSERVATIONS	INTERPRÉTATIONS
Œil gauche plus grand	touché émotivement
Œil droit plus grand	intérêt intellectuel
Œil gauche plus petit et œil droit régulier	stress émotif
Œil droit plus petit et œil gauche régulier	stress rationnel
Paupières lourdes	fatigue temporaire ou chronique ou signe de dépression
Paupière affaissée gauche	tristesse chronique ou signe de dépression
Paupière affaissée droite	stress chronique
Fentes palpébrales cachent les pupilles	des yeux qui ne veulent plus voir
Sampaku du bas	attitude intérieure : colère, peur d'être découvert / statue : mal-être intérieur
Sampaku oeil droit bas	épuisement professionnel
Sampaku oeil gauche bas	mauvaise image de soi
Sampaku du haut	attitude intérieure : peur pure, terreur
Grands yeux	yeux d'enfants, curiosité
Petits yeux	yeux d'observateur

Prenons ce sourire, mais surtout les yeux. Regardez l'œil gauche tout particulièrement. Rappelez-vous que le côté droit du visage est géré par l'hémisphère gauche du cerveau et inversement le côté gauche par l'hémisphère droit. Le «visage droit» correspond donc à la logique, au contrôle du discours. Il témoigne des émotions que l'on veut afficher publiquement. Le «visage gauche» témoigne de l'émotion réelle. Sur la photo, l'œil gauche est plus petit parce que la paupière inférieure remonte légèrement (stress émotif). Les cernes sont prononcés. Les muscles du front ne participent pas du tout et l'orbiculaire majeur (autour de l'œil) participe, mais peu. Le sourire photographique ne correspond pas à l'état psychologique du sujet. En d'autres mots, elle sourit extérieurement, mais pas intérieurement.

■ *Anecdote 7*

Je me souviens d'une entrevue que j'ai passée il y a plusieurs années. J'avais devant moi deux gestionnaires. Lorsque la question sur les réalisations est arrivée, j'ai fait mention d'une intervention délicate faite dans un OBNL. Le représentant de la direction des ressources humaines a tout de suite réagi. Son œil droit est devenu nettement plus grand. Il s'est avancé vers moi, la bouche entrouverte. Je savais que j'avais toute son attention et qu'il faisait des parallèles avec la réalité de son entreprise. L'autre gestionnaire, pour sa part, a cessé de cligner des paupières et s'est reculé sur sa chaise. Il n'était plus là. «Pas de son, pas d'image». La fatigue, déjà visible par les cernes, venait de reprendre le dessus. C'est à ce moment-là que j'ai pris conscience que le blanc du bas de l'œil était plus perceptible à droite. Je n'ai pas osé aborder le sujet de sa santé considérant le contexte. Qui étais-je pour poser des questions indiscrètes? Trois mois plus tard, j'ai appris qu'il était en congé de maladie pour épuisement professionnel.

C. Poignets rigides ou détendus

Il y a parfois des items qui peuvent sembler bien banals, mais dont l'importance insoupçonnée revêt tout son sens dans l'application concrète

de la lecture du non-verbal. Il en est ainsi pour les poignets. Lorsque leurs mouvements sont souples et orientés vers l'interlocuteur, c'est le signe d'une détente, d'une confiance et d'une ouverture vers l'autre. Inversement, une fois devenus rigides, en angle et crispés, ils témoignent d'un stress intérieur, d'une colère, d'une fermeture.

■ *Anecdote 8*

Il y a quelque temps déjà, j'ai été invitée à une émission de télévision. Durant la séance de maquillage, le recherchiste est venu me rencontrer. Il était très heureux que j'aie accepté l'invitation et surtout très curieux de me voir «à l'œuvre». Il m'a posé quelques questions, pas beaucoup, mais suffisamment pour que la maquilleuse se sente intimidée par ma présence. L'équipe de production avait un peu de retard, les invités se sont tous retrouvés dans un petit salon prévu à cet effet. Parmi les gens présents, il y avait un comédien connu, une contorsionniste, des techniciens, le recherchiste et d'autres employés. Lors de la pose du micro sur mon vêtement, un des techniciens m'a demandé de parler. Le recherchiste a insisté pour que je fasse l'analyse de quelqu'un présent dans la pièce. J'y suis allée le plus doucement possible et en me limitant à nommer les signes de stress et de malaise bien naturels considérant le contexte de la personne qui s'était prêtée au jeu, sans trop entrer dans les aspects personnels pour ne pas causer de commotion. Mais l'impression a été forte et les employés ont prévenu l'animateur de même que les deux chroniqueuses que j'étais vraiment «comme Lightman dans Lie to me». Ouf! Il stressait tout le monde sans s'en rendre compte. Ça s'annonçait difficile...

Quand je suis arrivée sur le plateau, la tension était palpable. Les trois protagonistes étaient nerveux, incapables de me regarder dans les yeux. Durant leur présentation, les poignets étaient d'une incroyable rigidité, ce qui donnait des mouvements 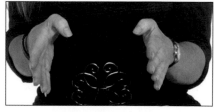 *saccadés, brusques, rectilignes. Il n'y avait aucune souplesse. C'est ce que je leur ai mimé pour illustrer ce que leur corps traduisait. Des poignets plus détendus sont souvent accompagnés de doigts entrouverts, de mains souples, voire «molles» et de gestes plus nombreux et plus amples. Évidemment, il faut toujours tenir compte de la particularité de l'individu pour éviter le risque Brokaw. Il y a des gens qui, de par leur nature, gesticulent peu et d'autres qui gesticulent beaucoup. La base de référence permet de se constituer des images de la personne en situation régulière.*

En entrevue d'embauche, les poignets vous permettront, dès votre entrée dans la salle, d'avoir une idée de l'état d'esprit de votre interlocuteur. Si, en partant, les poignets sont rigides, c'est peut-être que l'entretien précédent a été pénible, que la personne en a ras-le-bol ou qu'elle vient d'apprendre une mauvaise nouvelle. Vous risquez de partir avec deux prises alors que vous n'avez même pas commencé! Selon votre type de personnalité, utilisez une stratégie avec laquelle vous êtes à l'aise. Personnellement, quand je voyais ce genre d'émotivité, j'entamais la discussion de manière à faire ventiler l'interlocuteur. Je lançais quelque chose comme: «Ça doit vous faire de grosses journées avec toutes ces entrevues!» Mon non-verbal était ouvert, empathique. Généralement, le gestionnaire déballait son sac et il allait beaucoup mieux après. Soyez vous-mêmes tout en vous préoccupant de l'autre.

D. Maniement du crayon

À la fin des trois années de formation de synergologie, chaque étudiant dépose un rapport d'observation sur un sujet précis. L'objectif est de le pousser à consolider ses apprentissages dans un domaine qui l'intéresse tout particulièrement et d'alimenter encore davantage le corpus synergologique. Rénald Marchand, synergologue[73], a produit un essai sur le maniement du crayon par rapport à une tablette de papier dans une rencontre entre individus. Il s'attendait à retrouver certaines notions développées par Christian Martineau, synergologue qui avait déposé un excellent document sur l'ensemble des gestes de préhension[74]. M. Martineau avait, entre autres, amené les termes éléfaction (hauteur des gestes), expego (expansion de l'ego dans l'espace autour de soi) et élérarchie (besoin de se surélever physiquement par rapport à l'autre). Ces éléments ont en effet été confirmés dans la prise du stylo en lien avec le bloc-notes. Mais quelle ne fut pas la surprise de M. Marchand en constatant que le déplacement de ce petit objet s'interprète de la même façon que les différentes positions du corps assis sur une chaise! En d'autres termes, la main bouge discrètement le crayon comme le fait le corps en position assise (et debout) lorsqu'il est soumis à une émotion de même nature. Nous reviendrons plus tard sur les positions assises sur une chaise, de même que sur les gestes de préhension en général, car il s'agit d'éléments fort utiles en milieu de travail.

Notons que le stylo (accompagné de la tablette de papier) sert en quelque sorte de prolongement de la pensée ou de la pulsion, mais il n'implique pas nécessairement un travail significatif de l'intellect. «Il donne du poids aux arguments et permet de préciser et de pointer un élément bien défini.»[75]

Le pouce et l'index sont les deux doigts les plus actifs avec le stylo. Le second est celui de l'affirmation de soi, c'est le JE qui impose, se met de l'avant, argumente, présente son idée avec fermeté ou conviction. Le crayon vient donc lui apporter de la longueur, un prolongement. Les deux extrémités sont intéressantes à analyser. Le bout affûté précise la pensée, situe

un point précis ou vise l'interlocuteur (fusil). Il importe de regarder la direction vers laquelle il est orienté. La pointe fine révèle la tension du locuteur par rapport au sujet discuté ou au groupe. Ainsi, lorsqu'elle est dirigée vers soi ou vers l'autre (egobulle), il y a une certaine tension à propos du sujet ou des personnes présentes. Lorsqu'il n'y a rien de précis qui est visé, il s'agit alors d'une situation de détente et d'échanges. Le stylo est plus passif, accessoire.

Le bout arrondi se retrouve souvent dans la bouche. Il s'agit alors d'une microsuccion. La personne aime ce qu'elle écrit ou ce qu'elle dit. S'il est mordillé, il sert alors d'outil de gestion du stress, bien évidemment. C'est le même principe que le rongement des ongles. Le fait de retourner le crayon dans sa main indique que le cerveau est en réflexion, que les idées «roulent» dans la tête sans qu'il y ait forcément une conclusion.

La tablette de papier, quant à elle, semble définir le territoire du locuteur et lui permet de positionner les éléments dans l'espace et le temps. Elle est déplacée bien plus souvent qu'on le croit et la modification de son emplacement s'interprète  elle aussi de la même façon que les positions sur une chaise. Il arrive qu'elle serve d'outil de défense. Elle devient alors une sorte de muret, de mini forteresse de protection entre le locuteur et l'interlocuteur.

En entrevue d'embauche, retenez que si le gestionnaire pointe le crayon vers vous, il veut des précisions et a besoin d'être convaincu. Apportez des arguments plus solides, des exemples concrets.

E. Concrètement, dans la vraie vie

Observez vos évaluateurs : bougent-ils? S'ils sont figés, c'est qu'il y a vigilance, une très grande attention ou un malaise. Regardez bien. Si l'œil droit est grand ouvert, que la bouche est entrouverte et que leur tête penche en miroir avec la vôtre quand vous parlez, bingo, vous marquez des points et ils vous écoutent avec beaucoup d'intérêt. Si, en plus, vous voyez des sourires auxquels les yeux participent (et pas seulement les muscles de la bouche), c'est encore mieux. Inversement, si leur tête ne suit pas du tout la vôtre quand vous parlez, si les poignets sont tendus et que le crayon se met à tapoter sur la tablette de papier, alors demandez-vous dans quel état d'esprit vous êtes arrivé et ce que vous venez chercher exactement. Votre stress peut être mal perçu. Et si, au fond de vous, ce travail ne vous intéresse pas, ça se ressent aussi. Par contre, vous pouvez verbaliser votre anxiété et surtout respirer! Votre rôle, c'est de donner le meilleur de vous-même. Mettez-vous en mode écoute et livrez les informations que vous

---

jugez les plus importantes. Il se peut que les évaluateurs réagissent au souvenir de l'entretien précédent parce que votre réponse est fort différente. Il se peut qu'ils soient mêlés dans leurs questions. Bref, tout n'est pas lié uniquement à vous.

VOUS *SAVEZ QUE VOUS COMMENCEZ À INQUIÉTER LES AUTRES AVEC VOTRE INTÉRÊT POUR LA SYNERGOLOGIE QUAND...*

Inévitablement, si vous dites que vous vous intéressez au non-verbal au point de lire sur le sujet et d'aller suivre un cours, certaines personnes de votre entourage vont réagir :

- Des collègues préfèrent vous parler au téléphone plutôt que d'aller vous voir à votre bureau.

- Des amis (ou leurs conjoints) s'assurent de ne pas s'assoir juste à côté ou en face de vous durant les soupers.

- Des membres de votre famille vous rappellent qu'ils vous connaissent depuis tellement longtemps que tout a déjà été su, qu'il ne peut pas y avoir de secrets.

- Des clients figent en apprenant que vous suivez des cours sur le non-verbal.

- Dans un 5 à 7, des gens ont soudainement quelqu'un d'autre à aller saluer quand ils se souviennent que vous étudiez le non-verbal.

- La serveuse du restaurant s'empresse de prendre les assiettes vides et laisse échapper l'addition en entendant vos sujets de conversation synergologiques.

Même si vous êtes toujours la même personne, vous étudiez un domaine qui effraie certains, horripile d'autres et fascine plusieurs. On respire !

Les neurones miroirs et l'empathie

En 1992, le professeur Giacomo Rizzolatti et ses collaborateurs de l'Université de Parme, en Italie, découvrent des neurones du cortex prémoteur jouant un rôle fondamental dans l'apprentissage par imitation et, fait important, dans l'empathie. En effet, les recherches ont démontré que, chez le macaque, ces neurones s'activent lorsque le singe saisit une pomme, mais aussi quand il voit un comparse exécuter le même geste. Cela implique qu'il analyse l'action avec son cortex visuel, mais aussi avec le cortex moteur. Le système miroir permettrait donc de mieux identifier l'émotion d'autrui en la simulant dans notre propre esprit. Les noms de neurones miroirs ou neurones empathiques leur ont été attribués. Des anomalies de leur fonctionnement ont été retrouvées chez des autistes.

Source : Wikipedia, www.scienceshumaines.com, www.daniele-boone.com.

Chapitre 5
La rencontre de supervision

«Méfie-toi de celui dont le ventre ne bouge pas quand il rit.» – *Proverbe chinois*

L es rencontres de supervision s'inscrivent dans un processus normal et sain de gestion et d'encadrement des employés. Souvent escamotées, voire négligées, elles revêtent pourtant une importance reconnue et admise. En effet, au cours de l'année survient l'évaluation de rendement ou l'appréciation de la contribution. Or, pour être en mesure de réaliser cette activité dans les règles de l'art et pour assurer un suivi des engagements pris, il doit y avoir des mesures intermédiaires. Les rencontres de supervision régulières permettent à l'employé de faire des bilans périodiques, de prendre des moments de recul pour réajuster les priorités au besoin. Elles permettent aussi au gestionnaire d'offrir de la rétroaction, du renforcement positif, le coaching nécessaire, d'apporter des correctifs et ainsi favoriser la mobilisation vers l'atteinte des objectifs tout en maintenant le lien de confiance. Le moment de l'appréciation

venu, il est alors plus simple d'envisager la rencontre puisque le gestionnaire et l'employé ont en main toute l'information pertinente.

Mais force est de constater que bien des gestionnaires sont mal à l'aise avec les rencontres de supervision. Ils ne savent pas quoi dire et les sujets tournent souvent autour des mêmes thèmes. Vous seriez surpris du nombre de cadres qui n'ont jamais eu eux-mêmes de rencontres de supervision. Si de mauvaises expériences ont été vécues, les employés craignent ces moments privilégiés avec leur patron et sont inquiets.

De part et d'autre, des signes d'inconfort sont visibles, mais rarement nommés, mal interprétés, mais ressentis comme une aversion personnelle envers l'autre ou un désir de mettre fin rapidement à un exercice détesté. En plus des notions vues dans le précédent chapitre, regardons les items suivants :

- Logiques
- Mains
- Bouche
- Axes de tête
- Langue
- Démangeaisons du visage
- Asymétrie du visage

Si vous êtes le gestionnaire

Vous souhaitez mettre votre interlocuteur en confiance et établir une communication franche, constructive, agréable. Vous aimeriez vous rendre compte si votre employé est en difficulté mais ne vous le mentionne pas ou ne le réalise pas. Vous voulez vérifier si votre influence est réelle ou faussement acceptée.

A. Logiques

Lorsqu'on analyse les gestes, il est important de faire la distinction entre les deux différentes logiques que le cerveau utilise : la neurosymbolique avec ses dimensions diachronique et socioaffective, ainsi que la cérébrale. Rappelons que les deux hémisphères cérébraux traitent l'information différemment, chacun gérant la partie inverse du corps. Mais les zones cognitives, sensorimotrices et psychoaffectives réagissent toutes trois aux stimulations et au stress de l'environnement.

La logique cérébrale influence le choix de la main dans le geste alors que la logique neurosymbolique permet de comprendre la direction des gestes. Rappelons les différences entre les hémisphères :

- Hémisphère gauche du cerveau (contrôle la partie droite du corps): centre principal du langage, du calcul, de l'analyse, du détail, du fonctionnement séquentiel, du traitement des éléments successifs, de la procédure. Il analyse les problèmes en se fondant sur des 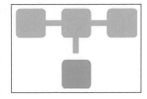 faits. Il se base sur les mots, les nombres, les faits, la logique, la séquence, l'organisation. Il est temporel, rationnel, numérique. Sa pensée est linéaire.

- Hémisphère droit du cerveau (contrôle la partie gauche du corps): centre principal de l'espace, de l'intelligence globale, de l'intuition, du sens artistique, de l'image immédiate, de la reconnaissance des formes, des concepts, des relations et des structures. Chaque information nouvelle passe par lui. Il cherche à comprendre, à faire des liens pour obtenir une perception intuitive et synthétisée de l'ensemble. Il est spatial, intuitif, analogique.

Dans le traitement de l'information, les deux hémisphères travaillent, mais ils ne font différemment et de façon inégale. Le gauche est plus actif dans les situations de contrôle et d'attention alors que son homologue l'est dans les situations spontanées et d'émotion.

Il faut comprendre que la dopamine est plus présente dans l'hémisphère gauche. Or, elle est surtout impliquée dans le contrôle précis de la réponse motrice et dans les fonctions intégratives supérieures. La sérotonine et la norépinéphrine se retrouvent davantage dans l'hémisphère droit. Ces neurotransmetteurs sont liés au maintien de l'équilibre homéostatique. Ce sont des neuromédiateurs et plus précisément des neuromodulateurs: ils modulent les perceptions en les amplifiant ou en les atténuant.

Quand on prend conscience de certains aspects physiologiques, on comprend mieux la synergologie dans son ensemble. Revenons donc aux logiques de fonctionnement. Selon la situation rencontrée, le cerveau choisit d'utiliser la main gauche ou la main droite. C'est la logique cérébrale, le point de départ du mouvement. Elle ne permet pas de comprendre pourquoi le geste est posé (c'est la logique neurosymbolique), mais bien de voir quel hémisphère réagit.

Ajoutons que si deux théories en compétition permettent de prédire la même chose, le principe du rasoir d'Ockham[76] rappelle que la plus simple est souvent la meilleure. Si la logique neurosymbolique ne semble pas claire, la lecture cérébrale est suffisante. La logique neurosymbolique s'applique chaque fois qu'elle permet d'ajouter un élément d'explication. Quand on se creuse la tête pour comprendre, c'est souvent que l'angle d'analyse n'est pas le bon. Il faut alors revenir aux principes de base.

La logique neurosymbolique s'examine sous deux dimensions, comme l'a constaté le synergologue Laurent Sun[77] : diachronique et socio-affective. Et, pour chacune, il y a une logique interne et une logique externe.

Logique externe

L'individu positionne les objets ou les personnes qu'il décrit devant lui comme s'ils étaient extérieurs à lui. Il a alors une vision en deux dimensions : gauche-droite, haut-bas.

Logique interne

L'individu positionne les objets ou les personnes qu'il décrit tout autour de lui comme s'il était lui-même au centre de l'action. Il a alors une vision en trois dimensions : gauche-droite, haut-bas, avant-arrière.

Dimension diachronique

À la naissance, le cerveau humain est une éponge. Il apprend et absorbe ce qu'on lui enseigne. Le sens de l'écriture vient fixer dans notre esprit le début d'une phrase et la fin de la ligne, ce qui est déjà écrit et ce qui est à venir. C'est pourquoi, dans la logique externe, chez les gens qui ont appris à écrire de gauche à droite, le passé est situé à gauche et l'avenir à droite alors que, chez les Arabes, c'est l'inverse puisque cette langue s'écrit de droite à gauche. Dans la logique interne, comme l'individu se positionne au centre de l'action, il installe le passé derrière lui et le futur devant lui.

Dimension socioaffective

Notre vécu et nos réflexes de protection font en sorte que nous avons tendance à repousser une menace et à garder près de nous ce que nous préférons. Nous faisons la différence entre nous et les autres.

Notre logique neuronale est binaire. Un stimulus suit un chemin ou un autre. Il fait un choix entre deux. Il en est de même de notre façon de penser : blanc ou noir, bien ou mal, vrai ou faux, intérieur ou extérieur, avec nous ou contre nous. Cela se voit aussi dans la gestuelle. C'est ce qu'on appelle la théorie de l'egobulle.

Dans la logique externe, nous plaçons près de nous (à gauche et donc du même côté que le passé) notre histoire, notre vécu, ce qui est connu, ce qui nous appartient, nos ancrages, ce que l'on sait, ce qui nous rassure, ce sur quoi on s'appuie, ce qui a une connotation positive.

On éloigne de nous (à droite et donc du même côté que l'avenir) ce qui est extérieur, qui ne vient pas de nous, les autres, ce qui est inconnu, ce dont on se méfie et ce que l'on craint, ce qui confère une connotation négative. La théorie de l'egobulle tient donc compte de la dimension culturelle de l'individu.

Je place à l'extérieur de moi ce dont je parle, je le positionne loin devant moi.

Dans la logique interne, nous plaçons près de notre corps, devant nous, tout près, ce que l'on aime, apprécie, ce qui nous appartient. On place à une plus grande distance de nous ce qui nous est extérieur, inconnu, moins agréable, etc.

B. Mains

Tout comme pour les poignets, quand les mains sont rigides, elles témoignent du stress, de la colère, du contrôle du discours ou du désaccord. Les autres items non verbaux permettront de discerner plus précisément de quoi il s'agit.

Kimura et Humphrys[78] ont démontré que l'ouverture des poignets donne de la puissance aux propos, d'autant plus si les gestes sont assortis. « Le rapport entre le verbe et le geste passe par eux. »[79] Mentionnons que lorsque deux individus de positions hiérarchiques différentes sont en discussion ensemble, le subordonné présente une contraction musculaire au niveau des mains plus importante que celle de son supérieur. [80]

En escrime, les termes pronation et supination sont utilisés et connus, mais pour le commun des mortels, ces mots sont souvent vides de sens. La pronation, c'est la fermeture ou une position orientée vers soi (ou vers le sol). La supination, c'est l'ouverture ou une position orientée vers l'autre. La supination de la main implique que la paume de cette dernière est orientée vers l'autre, qu'elle est visible. Les pieds peuvent aussi être supinateurs ou pronateurs. Lorsque le stress est très présent, le réflexe du corps est de se protéger, de préserver sa bulle. Les paumes s'orientent alors vers lui, les poignets se raidissent et les chevilles tanguent moins vers l'extérieur.

La main de l'homme est en pronation. La paume est vers le sol, donc non visible. La main de la femme est en supination, la paume est visible.

Quand on fait l'analyse générale du corps (statue) pour se créer une base de référence, on peut observer l'orientation des chevilles durant la démarche, entre autres. Mais il y a aussi lorsque les jambes sont croisées que cet item prend tout son sens. En effet, face aux questions plus difficiles, l'articulation a tendance à plier et nous donne ainsi un indice de stress ou d'inconfort évidents.

En lien avec les notions de logique cérébrale et de logique neurosymbolique, les mains doivent être analysées selon plusieurs variables :

- Quelle main est active ?

- Est-elle en supination ou en pronation ?

- Dans quelle direction va-t-elle ou sur quelle zone du corps se situe-t-elle ?

- Quel est le type de geste et la configuration de celui-ci ?

En résumé, nous avons :

Logique	Description	Dimension	Gauche	Droite
Logique cérébrale	Quelle main est active (selon les fonctions des hémisphères du cerveau)		Spontanéité	Contrôle
Logique neurosymbolique externe	Dans quelle direction va la main active	Dimension diachronique (temps)	Passé	Futur
		Dimension socio-affective (préférences)	J'aime	J'aime moins
			Positif	Négatif
			Féminin	Masculin
			Endogroupe	Exogroupe
			Egobulle	Exobulle
			Logique chaude	Logique froide

■ Anecdote 9

Quand je rencontre des employés, il est toujours amusant de voir de quel côté ils situent leurs collègues lorsqu'ils en parlent. Lorsque le geste s'oriente vers la droite, cela ne veut pas nécessairement dire qu'ils n'aiment pas une personne, mais plutôt qu'entre deux choix, ils préfèrent l'autre. On a toujours plus d'affinités avec certains. Ce qui est utile, c'est de remarquer, au sein d'une organisation, que personne ne semble placer un individu en particulier du côté gauche dans les gestes. Là, il importe de poser des questions. Est-ce un rejeté, un solitaire, un caïd qui règne par la peur qu'il inspire ?

C. Bouche : dégoût, mépris, peur

La bouche offre toute une panoplie d'informations des plus intéressantes. Facilement observable, elle indique clairement l'émotion négative et positive, celle liée à soi ou à l'autre. Les mouvements peuvent être conscients (faits volontairement), mi-conscients (si on vous le fait remarquer, vous pouvez en prendre conscience) ou inconscients.

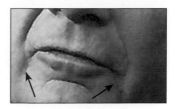

Observez les rides de lassitude imprimées sur le visage

Des chercheurs[81] ont observé que le rythme respiratoire s'observe sur les lèvres. Or, ils constatent que nous aidons notre interlocuteur à communiquer de façon empathique si nous démontrons plus d'ouverture en gardant les lèvres ouvertes avec leur bord extérieur remonté.

La synergologue Christine Gagnon[82] a fait un travail très intéressant sur ce sujet : une ouverture qui donne accès à l'intérieur du corps. Évidemment, les réflexes primaires de protection sont toujours actifs. C'est pourquoi, étant donné le risque d'obstruction, d'étouffement, d'introduction d'un objet, l'instinct de survie pousse à refermer la bouche si la situation devient menaçante. Sa morphologie est, bien entendu, tributaire de la transmission des gênes, mais aussi de la présence de particularités : dentition volumineuse ou malformée, obstruction nasale, déformation, absence de dents, présence d'une prothèse dentaire ou d'un appareil orthodontique, malaise à montrer ses dents, épaisseur et dessèchement des lèvres, etc. dont il faut tenir compte lors de l'analyse.

Les muscles du visage sont les plus fins et les plus petits du corps. Ils sont aussi ceux qui réagissent le plus rapidement aux stimulations nerveuses mêmes très légères et, comme le mentionne Christine Gagnon, à la moindre variation de la vie mentale. Striés et peauciers, ils s'adaptent à l'état d'être et influencent l'apparition et l'apparence des rides autour de la bouche.

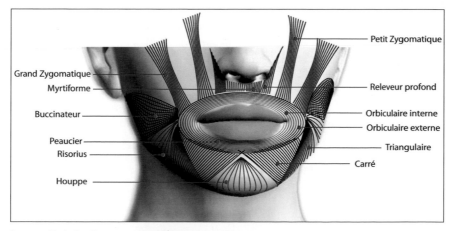

Source : Christine Gagnon, synergologue

Pour ceux qui connaissent la série *Lie to me*, rappelez-vous l'épisode où Cal Lightman surprend une microcrispation du buccinateur de son employée, Ria Torres. Il la taquine volontairement sur ce spasme qu'elle ne contrôle pas, mais qui démontre son désaccord envers son patron et le fait qu'elle croit avoir raison.

Christine Gagnon a noté une importante particularité culturelle. Les Japonais concentrent leur attention sur les yeux alors que les Américains regardent la bouche! En effet, les premiers, par pudeur, s'interdisent d'imposer leurs émotions aux autres. Pour ce faire, ils apprennent à «contrôler» (en partie) leur bouche pour ne rien laisser paraître. C'est ce qui donne l'impression qu'ils sont moins expressifs de prime abord. Les mouvements du bas du visage ont en effet moins d'amplitude, mais ils sont bien présents. En Occident, la dissimulation des émotions est perçue comme de l'immaturité, du déni, une incapacité d'affirmation, une dissimulation de soi, voire même de l'hypocrisie. C'est pourquoi la bouche est plus active dans la communication non verbale.

La bouche se meut unilatéralement et bilatéralement. Ainsi, il est aisé de bouger un coin des lèvres indépendamment de l'autre. C'est pourquoi la bouche livre une information encore plus riche que les sourcils, par exemple, qui bougent davantage unilatéralement. C'est aussi pour cette raison qu'un véritable sourire s'identifie non pas tant par le mouvement du bas du visage, mais plutôt par la participation

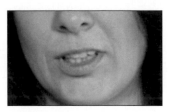

Observez la descente de la lèvre inférieure droite

des muscles entourant les yeux. Le côté gauche de la bouche est beaucoup plus difficile à maîtriser que le côté droit. Lorsque les émotions sont cachées ou traverstries, des dissymétries risquent d'apparaître.

Les règles de lecture de la bouche sont les suivantes:

- La zone en mouvement:
    - Lèvre supérieure: propos ou idée à caractère intellectuel
    - Lèvre inférieure: propos ou idée à caractère pulsionnel
    - Deux lèvres: envie de parler ou de sourire
- Le côté impliqué:
    - Droite: réflexion dans un contexte qui est extérieur à soi
    - Gauche: réflexion dans un contexte personnel
- La direction du mouvement:
    - Ascendant: connotation positive
    - Descendant: connotation négative
    - Rétraction: rigidité

- Extension : bien-être réel ou travesti
- Intérieur : retenue du discours
- Extérieur : désir de communiquer

■ Niveau d'ouverture :

- Entrouverte : discussion positive, agréable
- Ouverte : envie de continuer à discuter du sujet
- Fermée : propos gardés pour soi, préfère de ne pas en dire plus

■ Participation de la langue à l'intérieur de la bouche : propos négatifs retenus

Concrètement, qu'est-ce que ça donne ? Examinons quelques situations précises :

■ Peur : commissures descendantes, bouche qui s'ouvre

■ Dégoût : centre de la lèvre supérieur qui remonte. Le nez participe au mouvement

■ Mépris : commissure ascendante. On voit le « croc » apparaitre

■ Honte : bouche fermée, lèvres serrées, retournées vers l'intérieur

■ Tristesse : commissures descendantes, lèvres tremblantes, bouche tombante

■ Colère : lèvres serrées, dures, les « crocs » apparaissent (surtout la canine de droite), lèvre supérieure blanchit et se rigidifie. Elle disparait tant elle devient mince.

Si la personne parle et que la lèvre supérieure est immobile, cela peut indiquer qu'elle « contrôle » son discours, filtre ses propos, fait attention à ce qu'elle dit. Cela ne signifie pas qu'elle ment, mais bien qu'elle joue de prudence et de protection. Elle est vigilante dans son discours, peut-être pour empêcher sa colère d'exploser, peut-être parce qu'elle est mal à l'aise avec le sujet, la langue, le vocabulaire utilisé.

En rencontre de supervision, la bouche aide à savoir si la personne dit réellement ce qu'elle pense, si elle apprécie la collaboration d'un confrère ou non, si elle éprouve du remords devant une erreur commise ou si elle refoule une  colère. En tant que gestionnaire, votre rôle, durant ces instants privilégiés, est de favoriser une communication authentique. De plus, si vous percevez une émotion négative, rappelez-vous que, même si vous la nommez, cela ne veut pas dire que l'employé sera à l'aise de la dévoiler et ça ne signifie pas non plus qu'il est même conscient de ce qu'il ressent réellement. Aussi, plutôt que de le confronter, tendez des perches.

■ Anecdote 10

J'ai un ami qui vivait des situations personnelles et professionnelles très difficiles. Il n'était pas habitué à verbaliser ce qu'il ressentait. Ses émotions étaient confuses dans son esprit... mais pas dans sa bouche. 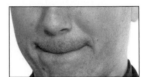 *Lorsque la colère le submergeait et qu'il tentait de camoufler son réel état corporel, ce précieux item me permettait de discerner le vrai du simulé. Rappelons que pour un homme, il est socialement plus acceptable d'être fâché que d'éprouver de la peine, de la honte, de la culpabilité ou de la peur. Or, pour se libérer d'une émotion négative, il faut d'abord l'identifier, l'exprimer et la verbaliser correctement. Mais il arrive qu'il ne nous est pas aisé de lui faire face. Mon ami est très expressif... non verbalement. J'ai donc ressorti mes notes de cours pour bien faire les distinctions nécessaires. C'est alors que j'ai mieux vu la lèvre s'étirer vers le côté quand il voulait me cacher sa tristesse, j'ai observé la canine apparaitre subrepticement quand l'agressivité le rongeait et j'ai vu les lèvres se replier vers l'intérieur devant la honte. Avec beaucoup de douceur, je l'aidais alors à nommer la boule d'émotions qui s'était coincée quelque part. Or, cet apprentissage intensif a été d'une utilité incroyable le jour où j'ai dû rencontrer une employée qui ne fonctionnait pas bien depuis un moment. Alors que son comportement très hautain et belliqueux devenait dérangeant et qu'elle était continuellement sur la défensive, j'ai revu cette même mimique bien particulière liée à la peine. J'ai vu aussi la honte et la panique. J'avais devant moi quelqu'un qui se sentait perdu et qui lançait un SOS sans savoir comment s'y prendre. Quelle belle découverte au sujet de laquelle il a alors été possible de revoir l'encadrement, mais aussi les objectifs professionnels, les besoins de développement et de formation ainsi que l'importance de clarifier certains rôles au sein de l'organisation. Je lui ai tendu une perche. Je lui ai expliqué que je constatais des signes de stress chez elle, peut-être même de stress de performance et que, vu les nombreux changements dans l'équipe, il devait être difficile d'en gérer les impacts. Je lui ai mentionné que je m'inquiétais pour elle, parce qu'elle était importante pour l'organisation, certes, mais aussi pour l'être humain qui semblait vivre des bouleversements importants. Je lui ai dit : «J'ai juste une question : comment vas-tu ?» Elle a fondu en larmes et, de là, il a été enfin possible d'avancer.*

D. Concrètement, dans la vraie vie

En rencontre de supervision, les mains sont très révélatrices de l'état d'esprit. Elles sont facilement observables. Ce qui importe, encore une fois, ce sont les changements dans les mouvements. Lorsqu'elles s'immobilisent totalement alors qu'elles gesticulaient beaucoup précédemment, cela peut traduire une augmentation soudaine de l'attention, un malaise, la conclusion du propos, etc.

Si vous posez une question à votre employé nécessitant une énumération, il se peut que les mains se mettent en mouvement devant lui, allant de chaque côté. Rappelez-vous que ce qui est placé à gauche est préféré à ce qui est placé à droite. Ça ne veut pas dire que les éléments à droite sont détestés, mais simplement que ceux à gauche sont favorisés. C'est très utile pour identifier qui a de bonnes relations avec qui dans l'entreprise. En effet, quand je fais une gestion de conflits et que je rencontre des employés, par les mouvements des mains, je vois bien les liens d'amitié plus solides. Je questionne alors sur la nature des relations avec les gens que l'employé a indiqué sur son côté droit. Quand tout le monde place «Jean-Pierre» à droite, je sais qu'il y a un problème avec lui... Est-il isolé, solitaire, rejeté? Il faut alors creuser!

La bouche est très difficile à contrôler en raison de la présence de muscles involontaires. Observez-la bien. Elle se referme plus serrée quand l'employé ne veut pas parler. Les lèvres tremblent sous l'effet de la peine ou de la colère. Les commissures descendent avec la tristesse ou le dégoût. Ce sont souvent les minuscules soubresauts de la lèvre supérieure ou du muscle juste au-dessus qui m'indiquent que la personne vit une émotion trop intense et est envahie par elle. Une bouche détendue et entrouverte est rassurante, car elle témoigne du relâchement de l'individu et du désir de communication.

L'employé réagit beaucoup à votre non-verbal et aux indications que votre corps donne sur votre degré d'accord face à ses propos, votre confort en sa présence, votre soucis de prendre le temps (ou non) de converser avec lui de son développement professionnel. Or, l'interprétation de ce langage corporel peut être biaisée. Regardez-vous, observez-vous et écoutez ce que l'employé a réellement à vous dire. Écoutez tout son corps. Et s'il est assis sur une chaise à roulettes, remarquez bien comme il la fera bouger en rotation si le sujet de discussion ne lui plait pas ou le rend plus émotif.

Si vous êtes l'employé

En tant qu'employé face à votre supérieur immédiat, vous avez besoin de savoir si vous pouvez réellement faire confiance ou s'il est préférable de garder certaines informations pour vous. Il ne faut pas se leurrer, certains gestionnaires pensent davantage à leur ambition personnelle qu'au bien-être des équipes de travail et de l'organisation. Certes, ils croient pouvoir apporter beaucoup, mais il arrive que quelques-uns d'entre eux s'avèrent être des personnalités toxiques dont il faut se méfier. Comment les distinguer? Tout au long de ma carrière, j'en ai malheureusement rencontré plusieurs dont les stratégies de manipulation variaient selon leur style et le contexte. Mais le non-verbal ne ment pas. Il est là, fidèle au poste!

A. Axes de tête

Les mouvements de la tête s'organisent selon trois axes exprimant chacun une réalité différente. Lorsqu'un seul axe est «actif», il est question d'axes simples, mais souvent, ils se combinent. Retenez bien que, comme pour tout le reste du non-verbal, il est toujours question du côté gauche de la personne que l'on observe et non de l'observateur.

- Axe sagittal: rapport hiérarchique (mouvement de tête quand on dit oui). L'observé montre un visage qui se dresse soit au-dessus ou en dessous de l'observateur. Ce qu'on regarde, donc, c'est le menton. Est-il surélevé, horizontal ou bas?

  – ASI: axe sagittal inférieur: soumission, je me situe en dessous de l'autre

  – ASN: axe sagittal neutre: je me situe à la même hauteur

  – ASS: axe sagittal supérieur: supériorité, domination, je me situe au-dessus de l'autre, hautain

- Axe rotatif: rapport hémisphérique (mouvement de tête quand on dit non) étant lié aux parties du cerveau. Pour identifier correctement l'axe de rotation, ce que l'on regarde, c'est quelle oreille est la plus visible.

  – ARD: axe rotatif droit: vigilance

  – ARN: axe rotatif neutre: neutralité

  – ARG: axe rotatif gauche: lien

(voir page suivante)

- Axe latéral: rappport empathique (mouvement de tête quand on dit peut-être). Celui qui parle qui mène. Il y a un effet miroir si la personne est d'accord avec l'émetteur.

  - ALD: axe latéral droit, penché à droite: rigidité, contrôle, stress.

  - ALN: axe latéral neutre: neutralité

  - ALG: axe latéral gauche, penché à gauche: douceur, soumission (si très penché).

Lorsque les axes sont combinés, leur interprétation apporte des nuances fort pertinentes. Cependant, il faut être très prudent lors de l'analyse pour bien situer l'interlocuteur de la personne observée. En effet, examinons l'image suivante: l'œil que nous voyons davantage, c'est le gauche. Mais si l'interlocuteur se situe sur sa droite, alors la femme le regardera manifestement avec son œil droit. Il importe de situer l'action.

En résumé, nous avons donc trois axes et chacun comprend trois angles:

- Axe rotatif: gauche, neutre, droit

- Axe latéral: gauche, neutre, droit

- Axe sagittal: inférieur, neutre, supérieur

Il y a donc vingt-sept possibilités dont les variations ne sont pas toujours très prononcées. C'est pourquoi, je le répète, c'est le changement que l'on observe. La première chose à faire est d'identifier l'axe rotatif, c'est-à-dire avec quel œil la personne vous regarde. Cela ne signifie en rien que la personne ne vous voit que d'un œil. C'est simplement l'angle de rotation de la tête. Rappelons que lorsque l'hémisphère gauche du cerveau se met davantage en action, c'est le côté droit du visage qui réagit. Quand l'hémisphère droit est plus actif, c'est le côté gauche du corps qui répond. Bien entendu, pour une photo professionnelle faite par un mannequin, l'angle se trouve modifié volontairement. Ce qu'il faut observer, ce sont les changements et à quel moment ils se produisent. Les axes de tête sont analysés en fonction de l'interlocuteur principal et en tenant compte de l'environnement et de l'effet miroir qui se produit quand la personne écoute quelqu'un avec qui elle a un lien. Elle adoptera alors un angle similaire à l'émetteur. L'analyse se fait selon ce dernier.

AXE ROTATIF GAUCHE (ŒIL GAUCHE) : ÊTRE EN LIEN		
	ASI	ASN	ASS
ALG	Abandon	Empathie	Écoute impressionnée
ALN	Peur/gêne	Lien/échange	Connivence
ALD	Perplexité/indécision	Circonspection	Vigilance

AXE ROTATIF NEUTRE (ARN) : NI EN LIEN NI EN VIGILANCE, NEUTRE		
ASI	ASN	ASS

	ASI	ASN	ASS
ALG	Dévalorisation	Lâcher-prise	Attentiste
ALN	Infériorité/colère	Neutralité	Supériorité
ALD	Méfiance	Rigidité	Fermeté/dureté

AXE ROTATIF DROIT (ARD) : VIGILANCE		
ASI	ASN	ASS

	ASI	ASN	ASS
ALG	Culpabilité	Soumission	Critique

Langue au centre

L_0 : C'est la langue qui sort droit devant. Elle
est observable en deux occasions. Quand la
personne a des propos arrogants ou négatifs,
c'est ce qu'on appelle la langue de vipère. Le
mouvement est alors rapide. S'il est lent, on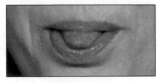
parle plutôt d'une langue de délectation. La personne est fière de ses
propos. Les synergologues Annick Millette et Sylvie Pilon[85] ont observé
que, chez les gens ayant subi un AVC, la langue de vipère survient avant
les mots. Le non-verbal est donc plus rapide que le verbal.

L_10 : La langue part vers le bas et continue son mouvement en se repliant
vers le bas avant de rentrer de nouveau dans la bouche : les propos sont
retenus. « Je retiens ce que je veux dire, quelque chose ne veut pas sortir. »
Si la personne ne trouve rien à dire, les paupières ne clignent pas.

Langue à droite

Lorsque la langue sort du côté droit, il s'agit généralement de propos dits
dans un contexte difficile.

L_1 : La langue sort à l'extrémité droite et
rentre dans la bouche au milieu des lèvres : les
propos sont agressifs mais assumés. « Je dis ce
que j'ai à dire dans un contexte difficile. Je me
bats de façon négative. » Souvent accompagné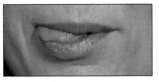
d'un axe latéral gauche et d'un axe sagittal supérieur : « Je t'écoute, c'est à
toi, après on verra. »

L_3 : La langue sort au milieu de la bouche et rentre à l'extrémité du côté
droit : les propos sont agressifs, mais non assumés. « Je me sauve dans le
discours. L'air de rien, je dis quelque chose de négatif sans me dénigrer
moi-même ou l'autre. » La « saloperie » dite l'air de rien.

Langue à gauche

La langue sur le côté gauche de la bouche témoigne d'un désir de rapprochement assumé.

L_2 : La langue sort à l'extrémité gauche et
rentre dans la bouche au milieu des lèvres :
bien-être, séduction. Désir manifeste de se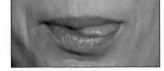
rapprocher.

L_4 : La langue sort au milieu de la bouche et rentre à l'extrémité du côté
gauche : « Je me sauve émotionnellement pour répondre. »

Langue traversant d'une extrémité à l'autre

Lorsque la langue traverse complètement d'un côté à l'autre :

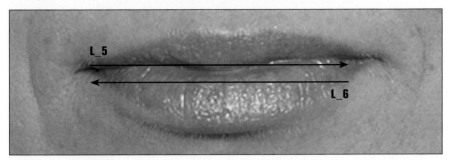

L_5 : La langue sort à l'extrémité droite et rentre dans la bouche à l'extrémité gauche : la personne se délecte de ce qu'elle dit et ramène l'autre dans son univers personnel. Désir manifeste de se rapprocher, grande fierté. «Je suis très fier.» «Je suis content de ce que j'ai à dire.»

L_6 : La langue sort à l'extrémité gauche et rentre dans la bouche à l'extrémité droite : rejet de la rivalité, rejet d'une pensée, grande agressivité, propos durs. «Je vais dire quelque chose d'extrêmement agressif.»

Bien souvent, les gens croient qu'ils effectuent peu de mouvements de langue, mais dans les faits, il s'agit d'un item répandu, facilement observable dans toute émission de télévision qui accueille des invités ou dans le cadre d'un journal télévisé. Est-il possible que la personne ait seulement les lèvres sèches? Bien sûr, et c'est pourquoi il importe de regarder l'ensemble du corps.

■ *Anecdote 12*

Lors d'une rencontre de supervision, une employée relatait un événement qui s'était produit plusieurs mois auparavant. Il s'agissait d'une mésentente avec un client et ce dernier avait tenu des propos agressifs, ce qui avait fortement impressionné l'employée. Or, à plusieurs reprises, le mouvement de langue indiquant une retenue des propos est apparu. Je me suis donc mise à poser davantage de questions sur ce que l'employée aurait pu faire différemment face à ce client, comment elle s'y prendrait aujourd'hui et l'impact de ce conflit sur sa perception de la relation client et sur les clients qui ont suivi. Les questions ont permis de mettre en lumière une erreur de sa part qui avait été à la base de la mésentente et un doute persistant dans son esprit sur sa capacité à gérer une relation client. Le climat au sein de l'équipe était si désastreux à l'époque qu'elle n'avait osé révéler cette information. Un second employé m'a fait le même genre de confidences peu de temps après, puis un troisième et, à chaque fois, ce même mouvement de langue. C'est alors que j'ai compris. Je me suis mise à les questionner sur leur relation avec le supérieur immédiat. Le sujet était lancé. Le gestionnaire était intervenu dans le processus dans l'espoir de s'octroyer une partie du crédit du travail effectué et il avait fait certaines promesses aux clients qui, évidemment, n'étaient jamais parvenues aux oreilles des employés. Ceux-ci avaient fini par avoir des doutes, mais il est difficile pour quiconque de dénoncer son patron sans craindre de perdre son emploi.

C. Démangeaisons du visage

Dans un autre chapitre, nous élaborerons plus en détail ce qui, sur le plan neurophysiologique, provoque une démangeaison. Pour le moment, rappelons que le visage est très innervé. Il réagit promptement à toute stimulation du cerveau. Lorsqu'il y a un décalage ou une contradiction entre ce qui est pensé et ce qui est vécu, le cortex somatosensoriel réagit et apparait alors une démangeaison.

L'apprentissage du langage emmagasine des concepts dans l'esprit humain. Nous comprenons en associant des mots à des images. Des verbes renvoient à l'action des sens et bien des figures de style s'avèrent très près de la réalité. Les mots ne sont pas sans importance. Pensons à quelques expressions très utilisées :

- Elle boit ses paroles.

- Je n'aime pas ce que j'entends.

- Je ne peux pas le sentir celui-là.

- Je suis curieuse de voir ça.

Or, ces phrases peuvent rester à l'état de réflexion et ne pas être verbalisées. Pourtant, les sens, eux, ont été stimulés par la pensée qui a traversé l'esprit, même subrepticement. Quand on ne veut pas voir quelque chose, on ferme les yeux. Quand on préfère garder pour soi une information, notre bouche se clôt et souvent, on met notre main devant. Quand la situation nous apparait compliquée, on se gratte le front.

Il est important de savoir que, du point de vue neuropsychologique, de nombreuses recherches[86] ont démontré la prépondérance de l'hémisphère cérébral droit (qui gère la partie gauche du corps) dans l'expression faciale des émotions. Ainsi, le «visage gauche» est plus expressif.[87] Dans certains cas, en fonction de la valence émotionnelle, les deux hémisphères s'activent, mais de façon très différente, ce qui explique l'asymétrie du visage et les grandes divergences de réactions selon le côté facial stimulé. Des milliers d'heures d'analyse vidéo ont permis à Philippe Turchet de découper le visage en zones : front, œil, nez, bouche, oreille.

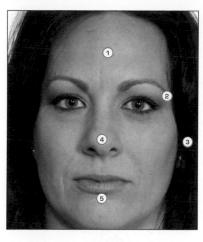

① Ce que je pense, réfléchis, imagine

② Ce que je vois, entrevois ou perçois

- Sourcils : images recherchées, souvenirs
- Sous l'œil : ce qui est caché

③ Ce que j'entends, écoute, ce qui résonne chez moi

④ Ce que je sens et ressens

- Au-dessus du nez : ce que je sens bien
- Sous le nez : ce que je ne sens pas, ne parviens pas à saisir

⑤ Ce que je dis ou bois dans les paroles de l'autre

Il importe de retenir que les mouvements derrière ou sous une zone reflètent quelque chose qui est dans le non-dit, caché, inférieur, voire sale, ou bien dans le pratico-pratique et très concret, matériel. Les gestes faits au-dessus ou devant une zone ont un aspect plus stratégique, supérieur, intellectuel, clair. Ainsi, une démangeaison du haut du front survient quand le questionnement touche un sujet complexe alors que, lorsqu'elle se produit plus près de la tempe, il s'agit d'une réflexion plus anecdotique.

GLOBALEMENT, LE CÔTÉ DROIT SIGNIFIE		GLOBALEMENT, LE CÔTÉ GAUCHE SIGNIFIE
Contrôle/maîtrise		Spontanéité
Il faut que		J'ai envie de
Devoir		Plaisir
L'autre		Je
Énervement		Excitation
Attendre		Agir
Garder		Répondre

Ensuite, il importe de regarder le sens du mouvement. S'agit-il d'un mouvement d'ouverture ou de fermeture ? Une démangeaison du sourcil vers l'intérieur implique un souvenir que l'on préférerait ne pas voir. Effectué vers l'extérieur, l'individu va chercher dans sa mémoire pour faire revenir les images. Je ne relate ici que les horizons de sens. Cela prend des heures d'étude et d'analyse vidéo pour bien saisir et différencier les nombreux points du visage.

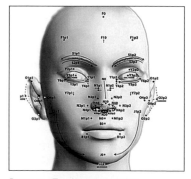

Sources : Turchet et associés, synergologues ; synergologie.org

---

Souvent, on me demande s'il est vrai qu'une démangeaison du nez implique un mensonge. La plupart du temps, ce n'est pas le cas. Il s'agit plutôt d'une émotion vive créée par le sujet abordé et que l'individu ne «peut pas sentir», qu'il n'aime pas, ne comprend pas pourquoi il en est ainsi. Le geste associé à un enrobage de la vérité est très caractéristique et part de l'extérieur de la narine gauche pour aller vers la droite. Le geste est rectiligne et généralement court, petit, comme si l'individu pointait avec son index vers le côté. Lorsqu'il se fait dans l'autre sens, il indique que la personne ne vous croit pas.

Dans le cadre de son rapport d'étape, le synergologue Dany Martineau-Lavallée[88] a constaté que les démangeaisons sont plus présentes lors de la formulation du mensonge que de la vérité.

■ *Anecdote 13*

Par exemple, lors d'une émission, je relatais une entrevue durant laquelle le candidat a menti sur les réalisations dont il était le plus fier, celles-ci appartenant plutôt à un collègue. C'est une incohérence dans son non-verbal qui m'a poussée à poser plus de questions. Je savais que quelque chose clochait. Or, quelques secondes après avoir raconté cette anecdote, cette évocation d'un souvenir désagréable, une démangeaison bien précise est  *survenue, celle de mon sourcil droit. J'ai d'ailleurs souri en la voyant sur l'extrait vidéo. J'en connaissais très bien la signification : faire remonter le souvenir qui est lié à quelqu'un d'autre. Je cligne des yeux lentement parce que je n'aime pas ce dont je me rappelle. Je reste en lien avec l'animateur. Mes jambes sont croisées vers lui, je le regarde avec mon œil gauche. Mes mains vont vers lui. Je sais que je dois faire attention à ce que je dis pour ne pas dévoiler de qui je parle. Ma tête se penche à droite : contrôle et vigilance. Mes épaules se crispent. Et mon poignet qui tape sur le bras du fauteuil vient appuyer mon propos, comme si je disais : «C'est ça qui est ça !»*

Je lis en vous… savez-vous lire en moi?

■ *Anecdote 14*

Dans une rencontre difficile, si des propos inappropriés sont tenus et me dérangent profondément, l'intérieur de l'oreille va aussi me démanger puisque je n'aime pas ce que j'entends. Habituellement, je me surprends à gratter ma mâchoire droite. Je souris à chaque fois parce que je sais alors que je n'apprécie pas ce qui est dit et que j'ai envie de «mordre», de sortir un argument coup de poing pour arrêter le discours qui m'apparait inadéquat. Plus l'émotion monte et plus le nez va se mettre de la partie au point où je vais le pincer avec mes doigts, comme pour retenir un éternuement. Quand je suspends mon geste, que je le fige sur mon nez, il s'ensuit une gorgée d'eau appelée en synergologie la goutte de malaise qui traduit bien mon inconfort devant le discours. Quand je rejette les propos, mon index couvre le des sous de mon nez et fait un mouvement brusque vers l'interlocuteur comme si j'essuyais mon

nez. Et, devant tous ces items dont je prends conscience, je formule ma pensée pour m'exprimer de façon constructive et authentique. C'est parfois tout un défi !

D. Asymétrie du visage

Chaque hémisphère gère très différemment les émotions. Chacun d'eux influence et active la partie opposée du corps. C'est d'ailleurs ce qui explique l'asymétrie du visage. Qu'entend-on par là? Tout simplement que, même pour une expression dite neutre, les deux côtés du visage ne présentent pas tout à fait le même aspect. Pour vérifier cette hypothèse, le Dr Ekman a découpé des photos et a fait une copie miroir de chaque face pour former un visage complet. Il se retrouvait ainsi avec un visage réel, un second avec deux côtés gauches face à face et un dernier avec deux côtés droits. Exemple[89] :

Cette technique est aussi très souvent utilisée en synergologie et permet des analyses fort intéressantes sur les émotions présentées aux autres et celles ressenties. La différence entre les visages est flagrante !

Par exemple :

Visage neutre :	Visage droit	Visage gauche

 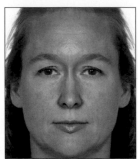 

L'affaissement de la paupière droite devient alors plus visible.

Le visage droit démontre un regard plus vif, plus vigilant, presque agressif alors que le gauche semble nettement plus doux voire même bonasse. La paupière est plus tombante sur le visage gauche.

Le visage gauche montre beaucoup plus de douceur que le droit qui parait dur, intraitable.

Rappelons[90] que le côté gauche du visage est relié à l'hémisphère droit, soit celui du lien à l'autre, de l'affectif, du processus émotionnel et de la gestion des émotions, de la reconnaissance faciale, de l'interprétation d'une sensation et du positionnement spatio-temporel. L'hémisphère gauche contrôle les actions motrices, mécaniques, logiques, ainsi que la logique, le raisonnement, le calcul, le langage et la reconnaissance d'une sensation physique. Rappelez-vous que le côté droit du visage correspond à la logique, au contrôle du discours. Il indique les émotions que l'on veut afficher publiquement. Le «visage gauche» témoigne de l'émotion réelle. Prenons, par exemple, la photo qui suit. Même une photo prise pour imprimer sur une carte professionnelle ou un site Internet révèle bien des éléments sur l'attitude intérieure de la personne (dans quel état d'esprit elle était au moment de la rencontre avec le photographe.

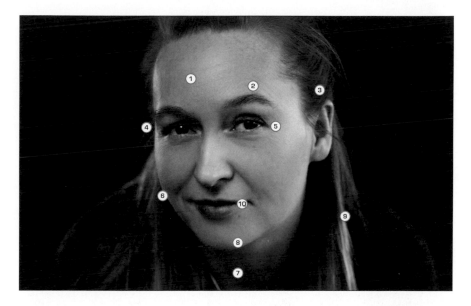

① Front détendu : ni peur, ni colère

② Haussement du sourcil gauche : pudeur, refus de s'impliquer, de s'engager

③ Axe rotatif gauche : en lien

④ Affaissement de la paupière supérieure : stress professionnel imprimé

⑤ Légère fermeture de l'œil gauche : petit stress émotif

⑥ Commissure droite plus élevée : sourire programmé, non ressenti, confirmé par la dissymétrie des fentes palpébrales

⑦ Cou détendu : détente dans la communication

⑧ Léger axe sagittal supérieur en raison de l'avancement du menton : se met légèrement en position de supériorité

⑨ Avancement du corps : intérêt

⑩ Bouche bien fermée : ne souhaite pas parler, sourire de courtoisie

---

SI ELLE VOUS REGARDE, ALORS...

① Axe rotatif droit : vigilance

② Œil gauche plus petit : stress émotif

③ Gonflement sous l'œil gauche plus prononcé que sous l'œil droit : fatigue émotionnelle, stress émotionnel qui dure depuis plusieurs jours et affecte le sommeil

④ Ride de colère imprimées avec le temps

⑤ Bouche fermée : refus de communiquer

⑥ Commissures descendantes et moue de la lèvre inférieure : tristesse

⑦ Bras droit par-dessus gauche : rationnel contrôlant (retenant) les émotions

⑧ Bras croisé avec poignet plié à 90° : fermeture, protection

⑨ Corps orienté de profil : protection, fermeture, refus de communiquer avec vous, stress

⑩ Genoux verrouillés : ancrage de stress, protection

⑪ Pieds orientés vers l'extérieur (tout comme le corps) : refus de s'engager dans la conversation avec vous

⑫ Pieds décalés : prête à partir. Le pied droit sert de bouclier

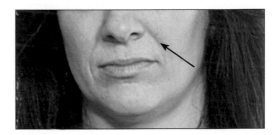

Ajoutons que la colère vécue souvent et sur une longue période de temps s'imprime elle aussi dans les muscles et accentue des rides précises. Si la peau se creuse davantage à gauche, la colère est surtout contre soi, à droite, elle est dirigée vers quelqu'un d'autre ou vers une situation extérieure à soi.

E. Concrètement, dans la vraie vie

Pour l'employé, une rencontre de supervision peut s'avérer un exercice stressant, inutile ou, au contraire, rassurant. Quand j'étais employée, j'observais les axes de tête de mes supérieurs immédiats pendant que je parlais. J'aimais voir s'ils me «suivaient» de la tête en effet miroir ou pas. Quand ils s'affirmaient, je regardais s'ils s'exprimaient avec l'œil droit en avant (vigilance) ou l'œil gauche (lien). À cela s'ajoutaient d'autres items fort intéressants. Ainsi, les dissymétries au niveau du visage, les démangeaisons, les mouvements de langue me permettaient de savoir s'ils étaient à l'aise, s'ils disaient réellement ce qu'ils pensaient ou s'ils étaient irrités et camouflaient leurs véritables émotions.

Quand mon patron se grattait le conduit de l'oreille gauche en baissant la tête et en fermant les yeux, je savais qu'il n'aimait pas ce qu'il venait d'entendre et aurait préféré ne pas connaitre l'information dévoilée. S'il se reculait ensuite au fond de sa chaise en frottant son visage (masque), je savais que c'était trop pour lui, qu'il avait besoin de recul. Je devais donc ralentir le rythme, lui donner le temps d'assimiler le tout. Je faisais une pause puis je reprenais avec un ton plus lent, plus doux pour lui permettre d'assimiler tout cela. Je faisais des schémas sur la tablette de papier pour rendre les actions à mettre en place plus concrètes.

VOUS AVEZ UN NOUVEAU CONJOINT ?

Quand on est synergologue, mais que le conjoint ne l'est pas, il peut se produire certaines frictions. Généralement, un synergologue encourage les discussions franches, la verbalisation des émotions, l'acceptation de ses propres limites parce qu'il a fait ce cheminement nécessaire. Mais cela ne veut pas dire que c'est réciproque. En effet, il est frustrant pour certains de constater que leur corps dévoile tout avant qu'ils n'aient prononcé un mot et que la personne en face ait déjà tout vu! Voici quelques conseils :

- Quand vous observez des items précis, comptez dix secondes avant de questionner votre partenaire sur l'émotion qui monte. Cela ne lui donnera pas le temps de la verbaliser, mais plutôt de commencer à en prendre conscience!

- Partagez vos connaissances en décrivant votre propre non-verbal.

- Rappelez-vous que vos propres émotions vous appartiennent. Votre frustration devant la réaction de l'autre à la suite à votre analyse est votre responsabilité. Vous pouvez choisir de rester calme.

- Donnez du temps au temps. Vous avez investi trois années avant de commencer à être vous-même à l'aise avec vos propres messages non-verbaux, alors ne demandez pas à votre conjoint de le devenir en trois mois!

On respire!

Le saviez-vous ?

La science révèle la puissance de la poignée de main

Une étude de l'Institut Beckman Florin Dolcos portant sur les corrélats neurones d'une poignée de main démontre à quel point ce geste permet d'évaluer notre interlocuteur. En effet, lorsqu'elle précède l'interaction sociale, elle renforce l'impact positif de l'approche et diminue l'impact négatif des comportements d'évitement sur l'évaluation de l'interaction sociale.

À l'aide d'imagerie de résonance magnétique fonctionnelle (IRMf), de la conductance de la peau et des réactions comportementales, les chercheurs ont montré les réactions de « sensibilité accrue observable dans l'amygdale et le sillon temporal supérieur, lesquels sont liés à l'évaluation positive des comportements. » En outre, les chercheurs ont écrit que le « noyau accumbens, qui est une région de traitement de récompense, a montré une plus grande activité lorsqu'il y a une poignée de main, ce qui démontre un lien vers « l'effet positif de la poignée de main sur l'évaluation sociale. »

Source : http://www.sciencedaily.com/releases/2012/10/121019141300.htm#.UldU5NWY-6mw.twitter.

Chapitre 6
La réunion d'équipe

«Nous ne sommes pas seulement corps, ou seulement esprit; nous sommes corps et esprit tout ensemble.» – George Sand

Les réunions d'équipe sont fréquentes. Leur productivité ou leur efficacité varie beaucoup selon le groupe, l'objectif, les règles de fonctionnement, l'animation, la qualité de la participation, etc. Durant ces rencontres, trop souvent, les employés n'expriment pas réellement ce qu'ils pensent et ce pour toutes sortes de raisons. On observe alors divers phénomènes. Certains se rallient au leader, d'autres critiquent tout ce qui est dit et quelques-uns demeurent silencieux ou s'organisent pour ne pas se prononcer par timidité, crainte, désintérêt ou impression que ça ne changera rien. Les désaccords ne sont pas toujours formulés ou le sont pour les mauvaises raisons. Inversement, certaines bonnes idées ne sont pas divulguées et des opinions importantes ne sont pas partagées. D'autre part, certains animateurs éprouvent plus de difficulté à encadrer un participant trop expansif, à favoriser la créativité, à stimuler les discussions.

Pour être efficace, utile et agréable, une réunion doit être préparée, certes, mais il importe aussi de mettre de l'énergie dans l'harmonisation du climat et l'établissement de saines communications. Il y a une façon de dire les choses de manière constructive et productive. Tout est dans la manière. Bien sûr, en tant qu'animateur, soyez à l'affût de la réelle dynamique du groupe. En tant que participant, vous avez un grand rôle d'influenceur à jouer.

La synergologie est fort utile pour identifier ce qui se passe réellement autour de la table et pour alors intervenir de façon appropriée et constructive. En plus des notions vues dans les précédents chapitres, regardons les items suivants :

- Positions sur la chaise
- Gestes de préhension
- Figures d'autorité
- Configuration des mains
- Items de fuite

Si vous êtes l'animateur

L'animateur a besoin de savoir si les gens participent pleinement, sont à l'aise avec la démarche proposée, peuvent s'exprimer librement et sans contrainte. Aussi, je vous propose de regarder les éléments suivants : les positions sur la chaise et les gestes de préhension.

A. Positions sur la chaise

D'apparence anodine, la position assise est une clé synergologique très utile. En effet, la façon de se tenir sur une chaise lors d'une conversation traduit bien l'attitude intérieure d'un individu. Après des mois d'observation et d'analyse, la synergologue France Gibbs[91] a pu démontrer le lien direct entre la posture assise et les états d'être ressentis. Il y a trois règles de lecture qui doivent être observées [92] : Où se situe la zone de l'ego? Quelle épaule s'avance ou recule? Avec quel œil la personne regarde?

Tout d'abord, les synergologues ont défini une zone de l'ego pour les individus et elle se situe au niveau de la poitrine. Cette zone est très utile, car elle permet de voir la volonté d'interaction avec l'autre. Globalement, un ego qui s'avance traduit une volonté d'interagir avec l'autre alors que, s'il glisse vers l'arrière, cela signifie le besoin de se retirer de l'échange, de la situation, de la relation.

Il est possible d'être plus précis. Ainsi, lorsque le corps s'avance, il est important d'observer quelle épaule s'avance. L'épaule gauche plus avancée revêt un aspect d'échange agréable, de communication fluide, voire, dans certains cas, de séduction. La personne est en relation avec vous, en lien, en situation de partage. Si c'est l'épaule droite, cela évoque davantage un besoin de convaincre, de vendre, presque d'imposer un point de vue.

À l'inverse, lorsque le corps se retire, il faut observer quelle épaule s'éloigne en premier et la même logique s'applique : si c'est l'épaule gauche, la personne retraite dans sa relation et si c'est la droite, la personne retire ses arguments, ses idées, son discours.

L'analyse des positions sur la chaise doit se faire en conjonction avec les axes de tête et le positionnement des yeux, mais cette analyse se fait dans une autre étape. Voyons les détails des positions sur la chaise qui ont été développées par France Gibbs.

Le modèle Gibbs présente l'interprétation à faire des directions que prend le corps une fois assis. France Gibbs a défini neuf positions possibles. L'illustration qui suit permet de placer les volontés d'interaction de l'auditeur en lien avec la position qu'il occupe sur la chaise et pour aider à la compréhension.

Voici comment se présente la logique des positions sur la chaise :

ARRIÈRE DE LA CHAISE

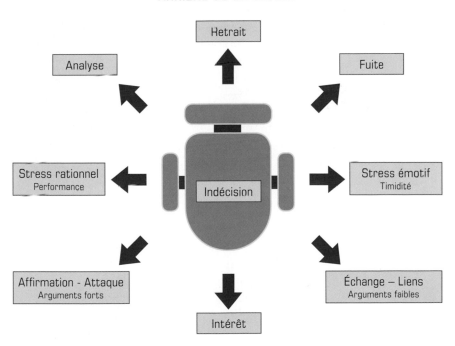

Évidemment, dans tous les cas, il importe de bien situer les interlocuteurs. Le schéma précédent est basé sur un individu qui serait assis en face de son partenaire de discussion. Dès qu'il y a des gens à côté de la personne que vous observez, il importe de tenir compte du lien entre les individus et des interactions non verbales. Ainsi, si mon conjoint est assis à ma gauche, je risque fort de transférer mon poids sur ma chaise de ce côté, non pas pour fuir, mais pour me rapprocher de lui.

Les positions de présence :

- Avant centre : intérêt, présence. Lorsque la personne s'avance vers vous, de façon bien centrée, cela signifie qu'elle est présente dans le discours, qu'elle est en lien avec vous, en équilibre. Généralement, les mains sont actives.

- Avant gauche : hésitation (ose s'avancer), arguments faibles. La personne est présente au niveau du lien à l'autre, mais le discours est moins important, moins affirmatif, l'argumentation est moins solide.

- Avant droit : attaque, arguments forts. La personne est présente au niveau du discours, elle a confiance en ses arguments et les défendra ardemment.

Les positions d'ambiguïté :

- Au centre : indécision. Cette position est souvent temporaire. Elle est dite neutre.

- Côté gauche : timidité, stress émotif. La personne est dans le contrôle de ses émotions. Elle est présente au niveau du discours, mais ne se laisse pas aller dans le lien. Elle contrôle ses émotions, elle peut chercher à contourner le sujet.

- Côté droit : performance, stress professionnel. La personne est dans le contrôle du discours. Elle est présente au niveau du lien à l'autre, mais ne se laisse pas aller au niveau du discours, des idées. Elle vit un stress de performance.

- Les transitions de positions indiquent un changement d'émotion chez l'interlocuteur [93] et un repositionnement de son intérêt et de ses arguments.

Les positions de retrait :

- Arrière centre : retrait, détente. La personne a une présence limitée au niveau du discours, des idées. Elle interviendra peu. Sa présence est aussi limitée au niveau du lien. Il y a manifestement une volonté de se retirer dans son monde : le torse - le moi - se retire.

- Arrière gauche : fuite. La personne est très peu présente au niveau du discours et des idées. Elle manifeste une volonté de se retirer de la relation, un désir de retrait par rapport au lien. Encore une fois, il est important de vérifier l'œil qui regarde.

- Arrière droit : analyse. La personne prend du recul pour analyser le discours, les idées. Sa présence est limitée au niveau du lien, l'œil qui regarde permettra d'en savoir plus sur ce point.

Bien entendu, comme pour toute analyse synergologique, il est important de tenir compte de certains facteurs environnementaux ou culturels qui peuvent modifier l'interprétation des observations. Un synergologue averti est toujours prudent dans ses déductions. Ainsi, tout comme pour le quadrant du regard, l'emplacement des possibilités de sortie peut attirer le haut du corps. Ainsi, si la porte est située à la droite de la personne, la position arrière droite qui, en temps normal, signifierait un état d'analyse, prendrait alors un sens de fuite. Des éléments physiques, comme la lumière naturelle ou artificielle, la chaleur, l'aération, peuvent influencer la position sur la chaise.

En position avant, au centre, il peut s'agir d'un intérêt réel, mais aussi d'une soumission cachée à l'endroit d'un supérieur ou d'un intervenant précis. Sur ce point, d'autres éléments seront développés ultérieurement.

Comme le mentionne France Gibbs[94], «la chaise est un objet auquel nous nous sommes culturellement adaptés [...], mais ce n'est pas le cas de tous les peuples de la planète». L'observation de la position assise doit donc tenir compte qu'un malaise peut être simplement dû au fait que la personne n'est pas habituée à utiliser un tel accessoire.

Bien souvent, on me demande si le menteur s'assoit d'une façon précise. Mais non! Tout simplement parce qu'il y a différents types de menteurs, plusieurs catégories de mensonges, des similitudes avec le malaise et le mal-être et enfin bien des angles d'approche. Une recherche de messieurs Kraut et Poe[95] avait d'ailleurs mis en lumière que, même si les gens croient qu'un changement de position est synonyme de mensonge, cela n'avait souvent rien à voir avec la sincérité du sujet! Ce que le synergologue va remarquer, ce sont les incohérences, les modifications dans l'attitude intérieure. Rappelons-nous les éléments de base :

- En tout premier lieu, il faut bien situer les précautions systémiques et environnementales afin d'éviter des déductions malheureuses.

- La théorie des 3 F s'applique très bien au modèle Gibbs : *to freeze* : je gèle, *to fight* : je vais au combat, *to fly* : je me sauve.

- Retenez que lorsque la personne vient échanger, elle choisira préférablement le fauteuil de gauche et si elle vient imposer, elle choisira le fauteuil de droite. Cette observation est limitée par des éléments systémiques comme l'organisation fixe d'un bureau, les documents sur le pupitre ou la table, etc.

- Lorsque l'on marche avec quelqu'un, la relation est côte à côte. Quand on est assis, la relation est face à face. La signification de la position sur la chaise n'est pas la même si l'autre personne est à côté de soi et la logique tient plus difficilement.

- Une personne qui tourbillonne sur la chaise signifie qu'elle n'a pas pris parti et qu'elle est ouverte aux opinions qui sont exprimées. Elle peut être aussi incertaine, déstabilisée, voire craintive. Ce qui importe, c'est de regarder la position qu'elle va finir par adopter.

■ Anecdote 15

Je donnais une conférence très tôt le matin à un groupe de gens d'affaires. Pendant que les participants se présentaient, j'ai remarqué leur façon de s'asseoir. La plupart étaient intimidés ce qui est compréhensible étant donné le sujet! Généralement, au bout de quelques minutes, tout le monde finit par se détendre et rigole en entendant les anecdotes. Cependant, cette fois, trois personnes avaient, dès le départ, adopté des positions particulières. Le premier était en position avant droit (attaque), le second était en position arrière gauche et très avachi sur sa chaise (fuite et désintéressement). Le troisième était aussi assis sur sa fesse gauche avec un croisement de jambes en bouclier (la cheville sur le genou), les bras croisés très serrés et les sourcils

Je lis en vous... savez-vous lire en moi?

relevés (peur). Je savais fort bien que ce ne serait pas gagné d'avance avec eux. Il me faudrait «prouver» ce que j'avançais. J'ai donc débuté avec les résultats d'une recherche expliquant que le désir sexuel entraîne des réactions physiques : augmentation du rythme cardiaque et respiratoire, afflux sanguin aux parties génitales et dilatation des pupilles. C'est logique. Mais j'ajoute que si vous êtes un homme et que vous avez ces réactions devant des images d'hommes, la dilatation des pupilles vient de m'indiquer votre orientation sexuelle. C'est une recherche toute simple, qui rappelle les notions de biologie de troisième secondaire, mais elle a fait comprendre à nos trois participants qu'il ne serait nullement question d'ésotérisme ou de mentalisme, mais bien de faits observables et vérifiables. Le premier s'est détendu, le second a commencé à montrer un peu d'intérêt et le troisième a visiblement eu très peur. D'autres items me donnaient l'impression qu'il n'avait pas encore fait sa «sortie du garde-robe» et qu'il n'était pas prêt à le faire. J'ai respecté sa crainte et son besoin de protéger sa «bulle». Sa vie privée lui appartenait.

B. Gestes de préhension

De quoi s'agit-il ? De micromouvements que l'on fait pour déplacer ou prendre les objets : la tasse de café, le crayon, les lunettes, le verre d'eau, la tablette de papier, etc., ainsi que des macromouvements liés à de plus gros objets : la chaise, la table, le mur, etc. Déjà, en 1975, Freedmann et Steingart [96] distinguaient les gestes centrés sur un objet et ceux centrés sur le corps. Ce n'est donc pas d'hier que l'on s'intéresse au sujet. Comme pour les autres gestes, il peut être question de fixations, de caresses ou de démangeaisons, chacun n'étant pas exécuté dans le même but. À cela s'ajoutent plusieurs autres éléments que nous regarderons plus en détail. Christian Martineau[97], synergologue a d'ailleurs étudié plusieurs dizaines de vidéos afin d'étoffer son hypothèse.

Dans l'image suivante, l'homme tire sur son col : quelque chose le dérange ou ne passe pas dans la communication. Il s'agrippe à sa ceinture : ancrage de gestion du stress (ou de l'inconfort) ou besoin d'établir son autorité.

En effet, les macro et les microfixations consistent à tenir un objet ou à s'appuyer dessus et à maintenir cette pose. Elles servent d'ancrage et permettent de gérer son stress (micro), de se rassurer (macro) par une surface solide qui peut être imposante, tel que le dossier d'une chaise alors que l'on est debout ou très petite, comme le crayon que l'on tient fermement. Pour le nouveau-né, il s'agit d'un moyen d'engramme.

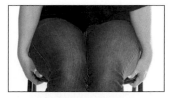

Quant aux caresses sur les objets, ce sont des mouvements plutôt lents, faits avec la main entière ou simplement le bout des doigts. Les macrocaresses sont exécutées dans un but de rapprochement de l'autre ou, au contraire, d'éloignement. Pensez aux gens qui passent leur main sur le dossier de la chaise. Les microcaresses traduisent un bien-être parfois narcissique, de la douceur, voire de la sensualité dans la communication. Pensons aux doigts qui caressent la bouteille d'eau ou l'anse de la tasse. Ce sont les autres items (axes de tête, position sur la chaise, mouvements des épaules et de la langue) qui permettent de mieux saisir l'état corporel de l'interlocuteur.

Enfin, il y a les macro et les microdémangeaisons. Rappelons qu'elles sont faites sur des objets ou des vêtements. Contrairement aux caresses, il s'agit d'un geste plus rapide et moins en douceur. Elles témoignent d'un décalage entre ce que l'on ressent et ce que l'on montre. Une macrodéman-geaison indique que la personne souhaite mieux voir derrière. Une micro-démangeaison montre qu'elle souhaite creuser pour comprendre la situation. Pensez à quelqu'un qui gratte l'étiquette d'une bouteille de bière ou le bras d'un fauteuil.

La traction s'observe par le repositionnement des pans du veston, la remontée du pantalon, le replacement des manches, etc. Elle permet d'éta-blir son autorité, de prendre position par rapport à l'autorité en jeu. Par ce geste, dans notre esprit, nous sommes en train d'empoigner l'autre, de nous agripper. La façon de replacer le veston est différente chez la personne en confiance et la personne stressée. La personne sûre d'elle-même le tire, la personne qui doute le referme. Cela s'observe facilement dans les arts martiaux. Le vainqueur se recadre, s'affirme, se positionne face à l'autre alors que le perdant se protège. Lorsque le mouvement est fait en arrière, il est rapide et non pas confiant ou solide, mais plutôt nerveux parce qu'il témoigne de l'inconfort, du stress, de la timidité ressentie dans le moment.

La microrotation indique le roulement de la pensée. La logique de réflexion est en marche. Les paupières clignent par opposition à la micro-fixation. Pensons au crayon que l'on tourne entre nos doigts pendant que l'on cherche une réponse.

La microdissimulation témoigne d'un malaise qui peut être intense. Les mains disparaissent sous la table, dans les poches, sous les manches.

La personne tente de dissimuler de l'information, de ne pas se dévoiler, de ne pas s'engager dans une conversation qui pourrait s'avérer risquée.

La microsuccion indique un certain bien-être, un retour sur soi. On porte en effet à notre bouche ce que l'on aime. Lorsqu'il s'agit d'un objet (souvent le crayon ou la pointe des lunettes), on vient alors démontrer que l'on apprécie ou que l'on est fier du texte que l'on a écrit, de notre savoir, de notre connaissance ou de la personne à qui on écrit.

La microfrappe, c'est le parallèle du poing sur la table, mais c'est un objet qui cogne sur la table (pile de documents ou feuilles de papier, plume jetée sur la table, cartable déposé avec force). Exécutée fermement, elle indique une prise de position. Lorsqu'elle est fait avec une certaine faiblesse et à répétition, elle témoigne d'impatience. Pensons au clic du crayon sur la table. Rappelons-nous l'image du juge qui statue.

La micropropulsion, c'est le mouvement de repousser un objet. Il s'agit d'un signe de rejet du propos, de la situation, de l'idée qui est proposée. Ainsi, inconsciemment, pour démontrer son désaccord, le participant déplace son verre d'eau sur le côté.

La micropression, ou le fait de serrer fermement un objet, est synonyme de fortes tensions intérieures. La main est en pronation.

Ajoutons que, d'après Joe Navarro, agent du FBI à la retraite, un menteur ne touche pas les personnes ou les objets autour de lui[98]. Prenez le temps d'observer le déplacement des objets par les gens autour de vous lors de la prochaine réunion et, surtout, regardez à quel moment il se produit. Retenez les principes de base à observer :

- Est-ce que l'objet est rapproché, éloigné ou maintenu ?

- Est-ce que le geste est fait en douceur ou avec rigidité ?

- Quels sont les autres items non verbaux observables : axes de tête, position sur la chaise, fluidité des épaules, mouvements et ouverture de la bouche, etc. ?

- S'agit-il d'un changement dans le comportement ?

■ *Anecdote 16*

Lors d'une réunion de travail, l'un des partici-pants a fait une affirmation à propos de laquelle j'étais très inconfortable. Et je n'étais pas la seule. Plusieurs de mes confrères avaient réagi: le pre-mier avait agrippé son verre d'eau comme s'il allait s'envoler, le second tenait le coin de la table telle une bouée de sauvetage, et le troisième était sur le point de casser son crayon tellement il le tenait d'une main crispée. Enfin, deux autres per-
sonnes avaient tout de suite dissimulé leurs mains sous la table. La réunion commençait bien! Disons qu'il a fallu beaucoup de tact pour réussir à détendre l'atmosphère et parvenir à établir une communication plus harmonieuse!

C. Concrètement, dans la vraie vie

L'animateur d'une réunion d'équipe a tout un rôle à jouer: donner vie aux discussions respectueuses, s'assurer du respect des règles et du temps consa-cré à cette rencontre, mener à terme les débats, veiller au maintien d'un climat sain et serein. Bref, c'est toute une tâche. Malgré tout, il arrive que les participants ne participent pas! Si l'un des employés passe son temps à «texter» sur son cellulaire, cela lance un message négatif aux autres. Ils vont y réagir. Si l'un d'eux arrive avec un regard noir et une attitude de détache-ment, tout le monde s'en ressentira même s'il ne prononce pas un mot. Si vos leaders naturels au sein de l'équipe adoptent une position assise reculée et s'y campent, ça ne va pas. Qu'ils se placent en mode «analyse» pendant que vous parlez, mais reviennent en mode «intérêt» par la suite, ça va, mais s'ils optent pour un transfert de poids sur la fesse gauche, vers l'arrière (fuite) ou orientent leur corps vers la porte de sortie pendant un long moment, ils ne sont plus présents psychologiquement. La réunion est-elle trop longue et inutile à leurs yeux? Ont-ils beaucoup à faire et souhaitent quitter? La tour-nure de la discussion leur déplait-elle royalement? Il faut agir judicieusement et non s'acharner à continuer de faire la même chose.

Les gestes de préhension permettent souvent de définir s'il y a de l'im-patience (tapotement), de la colère (prise ferme), du stress (agrippement), de la réflexion (rotation), un besoin d'ancrage (appui), d'établir son autorité (placement), de séduction (caresse), etc. L'objet déplacé fermement vers le côté indique le rejet de l'idée émise. Tous ces indices sont précieux en réunion d'équipe. Quand un participant émet une hypothèse et qu'un autre repousse son verre d'eau, reclasse ses feuilles devant lui puis appuie son dos sur son dossier, il est clair que l'idée n'a pas été acceptée. Il vaut mieux chercher des moyens pour mieux la présenter!

Je lis en vous... savez-vous lire en moi?

Si vous êtes le participant

En tant que participant à une réunion d'équipe, vous aimeriez savoir si vos collègues appuient vos propos et si votre message passe, si vos impressions sur le déroulement de la rencontre sont exactes, si la synergie est bonne, etc.

A. Figures d'autorité

Est-ce que les réactions de tous les gens sont similaires? Non, bien sûr. Nos états corporels présentent les mêmes items, mais nos mécanismes de défense, nos façons d'interagir, nos schémas de pensée, nous sont propres et leur étude relève de la psychologie. À ne pas confondre!

En synergologie, comme dans bien d'autres sciences, force est de constater que la relation entre deux individus implique que chacun joue un rôle lors de la discussion, chacun opte pour une figure d'autorité qui lui semble convenir selon la situation. Ainsi, chaque participant d'une conversation peut se sentir.

- Égal à l'autre… ce qui s'appelle la figure réflexive;
- Supérieur à l'autre… ce qui s'appelle la figure conquérante;
- Inférieur à l'autre… ce qui s'appelle la figure syntonique;
- Extérieur à l'autre… ce qui s'appelle la figure vigilante.

Rappelons qu'il s'agit là de stratégies de communication adoptées selon le contexte et non le type de personnalité. Bien entendu, si quelqu'un opte plus souvent qu'autrement pour la même figure d'autorité, alors il est possible qu'à la longue elle fasse partie de sa statue.

Il arrive plutôt rarement que nous nous sentions tout à fait d'égal à égal lorsque nous discutons. En fait, la plupart du temps, nos egos nous poussent à choisir les trois autres stratégies de communication qui nous semblent efficaces, mais qui, en réalité, nuisent à la qualité de la relation.

Le réflexif… le «moi» idéal

Qui tient de la réflexion, de la conscience de soi… Cette stratégie s'observe lorsqu'il y a un échange lucide et stable en stricte égalité. C'est la figure d'autorité de l'humain libre qui aborde l'autre en pleine conscience. La communication est fluide et revêt un caractère gagnant-gagnant en ce sens que chaque partenaire se préoccupe aussi de l'intérêt de l'autre dans le but de maximiser son propre intérêt. Il ne s'agit pas de rechercher le meilleur compromis de partage des gains, mais d'augmenter les gains de chaque partenaire.

C'est la stratégie de l'assertivité, soit la capacité à être en désaccord et à pouvoir le dire sans être agressif, exactement comme on le pense (sans se dire que c'est trop compliqué de le dire). C'est l'affirmation de soi.

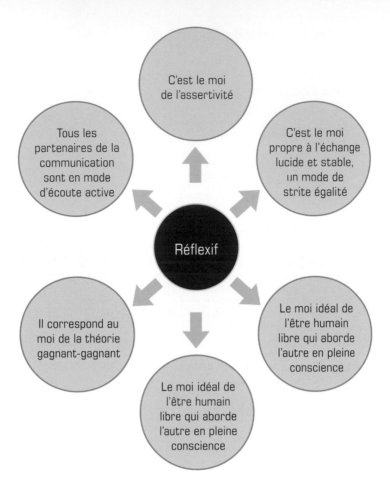

Lorsque la communication n'est pas de bonne qualité, alors l'une des figures d'autorité suivante se met à l'œuvre :

Le syntonique

C'est le moi de celui qui dit toujours oui. La personne n'a pas de réelle écoute. Elle dit oui, oui, mais ne se détermine jamais tout de suite (elle ne fera rien avec vous et fera ce qu'elle veut bien faire). C'est le moi de celui qui se sent en situation d'infériorité ou qui joue l'infériorité. La meilleure stratégie pour lui est de donner ; il a le sentiment qu'il n'a pas les moyens de s'opposer alors il tente de dialoguer un accord. Il renonce à l'aspect critique. Il n'est pas en stricte égalité dans l'échange, comme cela peut être le cas dans une relation patron-employé lors d'une supervision. C'est une stratégie d'évitement.

Le vigilant

C'est celui qui ne donne rien. C'est le «moi» de celui qui craint de perdre. Il est sur la défensive, il n'a pas confiance en l'autre. Il ne croit pas aux arguments de l'autre et n'entre pas en matière dans l'échange. Il analyse sans cesse.

Le conquérant

C'est celui qui prend à l'autre. Il n'est intéressé que par lui et n'écoute pas vraiment. Il s'abreuve de son propre discours. Il n'écoute les arguments de l'autre que pour les contourner. Il est souvent excessif et sûr d'avoir raison.

Synthèse

Réflexif	Vigilant	Syntonique	Conquérant
Égal à l'autre	À l'extérieur de l'autre	En dessous de l'autre	Au-dessus de l'autre
En confiance (en soi et en l'autre)	Aucune confiance en l'autre	Aucun aspect critique	Aucune attention à l'autre
On, on, on!	Non, non, non!	Oui, oui, oui!	Je, je, je!
Donnant-donnant	Ne veut pas donner	Donne	Prend
To communicate	To freeze	To fly	To fight

Triangle de dyscommunication

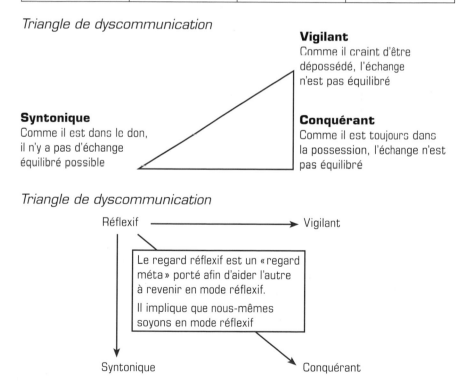

Vigilant
Comme il craint d'être dépossédé, l'échange n'est pas équilibré

Syntonique
Comme il est dans le don, il n'y a pas d'échange équilibré possible

Conquérant
Comme il est toujours dans la possession, l'échange n'est pas équilibré

Triangle de dyscommunication

Réflexif ⟶ Vigilant

Le regard réflexif est un «regard méta» porté afin d'aider l'autre à revenir en mode réflexif.

Il implique que nous-mêmes soyons en mode réflexif

Syntonique

Conquérant

Regard méta : prendre conscience de la communication, identifier notre propre mode de communication et celui de l'autre. Par la suite, revenir à un mode réflexif et amener l'autre à ce même mode de communication.

Les trois figures d'autorité de dyscommunication ont un penchant positif et un autre négatif. Une figure vigilante négative appelle une figure vigilante négative. La suspicion appelle la suspicion. Le réflexif est une figure de maturité. Deux figures d'autorité positives s'expriment quand, dans la communication, les deux personnes sont stimulées. Un des communicants a intégré une figure d'autorité négative quand l'échange est producteur de tension.

Figure d'autorité	Positif	Négatif
Conquérant	Il sait, il amène l'autre dans son projet en le faisant rêver, en lui faisant miroiter son organisation à toute épreuve.	Il sait tout mieux que les autres, il a compris ce que les autres n'ont pas encore compris. Chaque fois que l'autre s'exprime, on perd du temps à ses yeux.
Syntonique	Il adhère sans compter, épouse totalement la cause de l'autre, sent que cela a du sens même s'il ne sait pas pourquoi.	Il exprime avec vivacité son désaccord, il donne l'impression d'être incompris (« vous de pouvez pas comprendre »). Il exprime tout ce que le groupe ne peut pas comprendre selon lui.
Vigilant	Il voudrait penser à tout, veut avancer, mais ne veut pas se faire avoir, peut même se faire l'avocat du diable.	Il met en doute, ne croit pas au projet et trouve toutes les embûches possibles pour discréditer l'idée.

En quoi cela est-il si utile en synergologie ? Tout simplement parce que le vigilant ne présente pas du tout la même communication non verbale que le conquérant ou le syntonique. Or, si on reprend les notions du début du livre, il importe d'identifier, lors d'une observation, s'il s'agit d'un état corporel hypertonique ou hypotonique, positif ou négatif, tourné vers l'autre ou gardé pour soi. Si je suis face à quelqu'un qui est avancé sur sa chaise, qui me parle avec la main droite et l'œil droit, dont les gestes présentent beaucoup d'éléfaction (hauteur des gestes) et d'expégo (expansion de l'ego dans l'espace autour de soi). Il y a de fortes chances que j'aie devant moi une stratégie de conquérant négatif. Quelle sera ma stratégie de communication ? Comment est mon propre non verbal ? Me suis-je repliée au fond de mon siège, sur la fesse droite avec un croisement de jambes orienté vers la sortie, les mains jointes en couteaux et un axe rotatif droit en mode de grande vigilance ?

Ces figures peuvent s'observer en position haute (ph) ou basse (pb). Examinons le schéma suivant où C signifie conquérant, V pour vigilant et S pour syntonique, - pour négatif et + pour positif.

Je lis en vous… savez-vous lire en moi ?

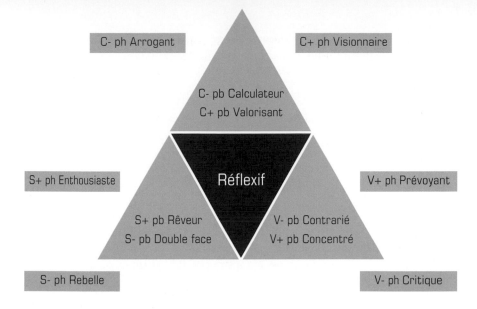

B. Configuration des mains

Les mains sont très actives dans la communication. En synergologie, on parle de trois catégories de gestes : ceux qui sont conscients, ceux qui sont mi-conscients (donc je peux en prendre conscience si je suis sensibilisé) et les gestes inconscients. Il y a quatre types de gestes :

- Projectifs : pour associer l'autre à la communication, ils vont alors vers lui. Ils projettent l'émotion, permettent de mieux la comprendre, la visualiser, la saisir. Ils peuvent aussi créer un effet de bouclier en occupant l'espace.

- Figuratifs : pour dissocier l'autre de la communication, ils sont plus présents dans le mensonge. Ils simulent et permettent de visualiser la grandeur, la hauteur, la forme des objets que l'on décrit.

- Engrammes : pour faire monter les souvenirs ou penser à ce que l'on va dire après. Geste de frottement du pouce, de l'index et du majeur.

- Symboliques : geste culturel. À noter que la signification peut varier sensiblement d'un pays à l'autre. Le pouce levé indique l'approbation ou est utilisé pour faire de l'auto-stop, mais il n'a pas du tout la même connotation en Grèce.

Ensuite, pour analyser les mouvements, les synergologues les observent selon cinq configurations, qui caractérisent le type d'engagement, et pour lesquelles trois caractéristiques sont examinées :

- Direction du poignet : ascendant, horizontal, descendant

- Supination ou pronation : ouverture ou protection

- Position des doigts

La direction du poignet permet de préciser la volonté d'affirmation de l'interlocuteur. Je m'explique. Dans la configuration, comme dans les boucles de rétroaction que l'on verra plus loin, des mains orientées vers le plafond témoignent que la personne assume son propos, se positionne comme le leader, le dominant, le connaissant. Des poignets horizontaux appellent plutôt les notions de lien, d'ensemble. Lorsqu'ils sont descendants, ils indiquent que la personne ne se mettra pas de l'avant et peut même être en mode soumission.

La première configuration (M1) indique que, dans l'esprit de la personne, deux parties différentes sont liées entre elles ou qu'elle se sent partagée entre deux idées, situations ou personnes. Dans la photo suivante, les poignets sont plutôt ascendants et les mains sont jointes, témoignant ainsi très bien de la notion de lien entre les idées.

Le même mouvement est souvent fait avec les mains éloignées l'une de l'autre, les doigts clairement orientés vers la poitrine ce qui indique bien le partage entre deux idées.

Il peut aussi être exécuté avec une seule main et traduire davantage le fait de lier soi-même avec l'autre. C'est le JE, ME, MOI qui s'affirme vis-à-vis l'interlocuteur et qui peut illustrer la contradiction qui se vit en lui. Dans l'image suivante, c'est la main droite qui est active. Je parle en contrôlant mon discours.

La seconde configuration (M2) illustre le Moi, l'unification. La personne exprime ce qu'elle pense avec plus ou moins de conviction selon l'orientation des poignets. Souvent, quand un individu n'ose pas se mettre de l'avant, les mains se retrouvent entre les jambes, les avant-bras appuyés sur le haut des cuisses, les mains vers le bas.

Je lis en vous... savez-vous lire en moi ?

La troisième configuration (M3) illustre l'idée d'avancer ensemble, de passer à l'action. Une seule main peut être en mouvement tout comme les deux peuvent l'être. Quand l'individu veut agir sans se mettre de l'avant, les mains sont descendantes.

Une M3 a déjà une connotation positive, mais elle peut l'être davantage en étant supinatrice, c'est-à-dire en ayant des poignets ouverts, la face interne visible pour l'interlocuteur. Les paumes sont alors orientées vers le plafond. Généralement, le geste est fluide, les doigts ne montrent que peu ou pas de rigidité. Le reste du corps est plutôt détendu. C'est un geste fait dans un objectif de partage, d'échange.

Une M3 peut avoir une connotation négative si le poignet est plus rigide, si les doigts sont tendus ou fermés, si la paume n'est pas visible par l'interlocuteur et, évidemment, si le reste du corps présente une hypertonie (contraction musculaire).

La quatrième configuration (M4) a plutôt une connotation négative de mise à distance. La personne peut éloigner d'elle l'idée, le sujet, le comportement de l'interlocuteur (par exemple, quand il lui coupe la parole) ou l'individu dont il est question ou avec qui elle discute. En position ascendante, on pourrait penser au mouvement des essuie-glaces.

Cette configuration a donc une connotation négative qui peut l'être encore plus par la pronation des poignets (face vers le sol). Une M4 ascendante indique, par exemple: «Arrête de parler, je parle».

La dernière configuration (M5) dévoile le rejet de l'idée ou de l'individu. Le mouvement implique une pensée plus catégorique sur le sujet de la conversation. Il peut se faire avec deux mains, les paumes allant toutes deux vers son côté respectif comme si on poussait les parois de murs, ou avec une

seule main. D'autres signes de rigidité, de désaccord ou d'inconfort sont alors visibles puisque la personne traite d'un sujet qu'elle n'aime pas, d'un comportement qu'elle n'approuve pas, d'une idée qui lui déplaît, d'une personne qu'elle n'apprécie pas.

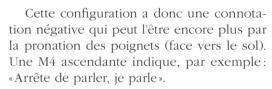

Enfin, à travers toutes ces configurations, les doigts peuvent apporter des précisions importantes. Ainsi, la main peut être :

- En éventail : agressivité ou grande peur (doigts tendus)
- Ouverte : ouverture
- En bourse : rassemblement
- En pince : précision
- Fermée : fermeture, protection
- Fermée avec un doigt ouvert : agressivité, inconfort, malaise. Vérifier quel doigt ressort pour plus précision
- Tendue : tension

Main en bourse

Très souvent, les mains traduisent la pensée avant qu'elle ne soit exprimée. Comme pour les autres items mentionnés dans ce livre, ce qui importe d'observer, ce sont les changements. Dans une réunion d'équipe, prenez le temps de regarder si les mains sont détendues ou crispées et si les poignets sont souples ou rigides. L'hypertonie témoigne du stress qui se vit intérieurement. Rappelez-vous que ce dernier peut être lié au sujet abordé, aux individus présents, aux pensées qui traversent l'esprit de l'individu.

■ Anecdote 17

Je me souviens d'une réunion d'équipe où une collègue a soudainement changé d'attitude. Ses poings se sont refermés, elle a adopté une position de fuite sur sa chaise et sa déglutition a semblé si pénible que j'ai cru qu'elle allait s'étouffer avec sa salive. Le sujet de la rencontre était pourtant anodin et ne pouvait être à l'origine d'un tel malaise. J'ai donc abordé le sujet de front avec elle, mais à voix basse, et je lui ai demandé ce qui n'allait pas. L'avantage d'être synergologue, c'est que les gens qui me connaissent savent que cacher leurs émotions ne donne rien. Elle a hésité à peine une seconde avant d'admettre qu'elle venait de se rappeler une tâche oubliée, une erreur, selon elle, qui aurait des conséquences. Son état de malaise n'avait rien à voir avec l'équipe, mais il venait d'obnubiler son esprit au point de la rendre incapable de suivre les discussions en cours.

C. Items de fuite

Chez l'humain, comme chez les singes d'ailleurs[99], la fuite s'observe par différents items, dont le déplacement du corps vers l'arrière gauche. Chez les primates, lorsque le moment est venu de mettre fin à une interaction, le départ se fait plus lentement lorsqu'ils quittent vers la droite et très rapidement quand ils s'orientent vers la gauche. Même si, durant leur analyse de la situation, ils semblent s'enligner vers la droite et qu'il y a une opportunité d'échappement de ce côté, ils déguerpissent vers l'arrière gauche devant une menace. Rappelons que l'hémisphère gauche, qui gère le côté droit du corps est analytique alors que son opposé est plus spontané. Ce phénomène est observable, chez l'humain, dans la position assise sur la chaise.

Au niveau des démangeaisons, lorsque l'individu souhaite partir et mettre fin à une interaction, mais qu'il ne sait pas comment s'y prendre ou juge que le moment est inapproprié, les démangeaisons apparaissent sur le côté arrière droit du corps. Pourquoi pas sur le côté gauche? Parce que la personne analyse la situation. Elle réfléchit au lieu d'agir[100] et tente de contrôler ses émotions. C'est donc l'hémisphère gauche qui est actif.

Rappelons-nous aussi deux mouvements de langue importants dans la fuite où elle sort au milieu de la bouche et :

- Rentre à l'extrémité du côté droit : se sauver dans le discours.

- Rentre à l'extrémité du côté gauche : se sauver émotionnellement pour répondre.

D. Concrètement, dans la vraie vie

Une réunion d'équipe est un savoureux laboratoire d'observation pour un œil averti. Évidemment, il est difficile d'animer et de regarder en même temps, mais à titre de participant, c'est une opportunité à ne pas manquer! Il est alors possible d'étudier les figures d'autorité, c'est-à-dire les stratégies de communication que les gens adoptent. Devant un conquérant plutôt agressif ou envahissant par son approche intrusive et bousculante, je ne suis pas surprise de voir apparaitre le syntonique qui acquiesce pour ne pas confronter. Évidemment, pour amener ce dernier à oser dire ce qu'il pense réellement, cela implique de créer un climat plus favorable à une saine discussion, de consolider le syntonique dans l'importance de son point de vue et de faire prendre conscience au conquérant que son style ne favorise pas l'échange mais bien l'autocratie.

Pareillement, devant quelqu'un de très vigilant, je me demande toujours si je suis bien en mode réflexif. En effet, si j'ai adopté, sans m'en rendre compte, une communication de conquérante, je risque de le mettre encore davantage sur ses gardes!

Les mains sont, elles aussi, des outils d'interprétation efficaces. Quand les M4 (mise à distance) et M5 (rejet) apparaissent et se répètent, il devient important de revoir le climat de la discussion, l'approche dans les propos, l'objectif derrière la communication. Quelque chose ne passe pas, il faut trouver quoi : le message, la personne, le contexte?

Inversement, quand le M1 revient continuellement et avec une seule main, on est moins dans le partage entre deux idées et davantage dans l'affirmation de soi répétitive. Pourquoi? Besoin d'affirmation, de retour dans sa bulle, de mieux définir son propre rôle, égocentrisme? Plusieurs options sont possibles et impliquent donc de poser des questions. Je me souviens d'une dame en processus thérapeutique qui apprenait à poser ses limites et à s'exprimer… au point d'oublier l'écoute nécessaire à une saine communication!

VOUS SAVEZ QUE VOUS DEVEZ VOUS QUESTIONNER SUR VOS RELATIONS D'AMITIÉ QUAND...

Le premier sujet d'observation du synergologue, c'est lui-même. Il remarque ses réactions, prend conscience de ses propres non-dits et cela entraîne des remises en question sur certaines relations. Tout cheminement personnel provoque cet effet. C'est normal et sain. Le synergologue fait le point quand :

- Vous discutez avec un ami et vous constatez que, régulièrement dans vos rencontres, vous croisez les jambes vers la sortie, croisez les bras, gardez la bouche bien fermée, avez des démangeaisons sur les jambes.

- Cet ami vous appelle et que vous avez alors une déglutition difficile en voyant son numéro, votre nez pique, votre corps se rigidifie et vous prenez une grande respiration.

- Quand il repart, vous soupirez, vos épaules sont plus avachies ou figées, les trapèzes sont douloureux, vous replacez vos cheveux derrière vos oreilles.

Si vous vous sentez coincé dans une relation d'amitié et que vous ne savez pas comment vous en sortir, parlez-en à des gens de confiance et faites appel à un psychologue au besoin pour vous guider dans votre démarche. Vous êtes la personne la plus importante pour vous. Les professionnels sont là pour vous outiller.

On respire!

Chapitre 7
La rencontre de coaching

« Mon corps n'en fait qu'à sa tête. » – Marcel Achard

L e coaching est de plus en plus popu-
laire. Quelque peu galvaudé, ce terme
signifie l'accompagnement d'un individu sur
le plan professionnel ou personnel afin
d'augmenter les connaissances, de dévelop-
per ou de peaufiner des compétences de
savoir-faire ou de savoir-être, d'améliorer le
rendement, le fonctionnement ou le mieux-
être de celui-ci. Il vise l'obtention de résultats
concrets, mesurables et une amélioration de
sa situation. En d'autres termes, il s'agit de
faire croître le potentiel humain de l'individu.

Le coach recherche donc les signes d'authenticité de son protégé afin de
s'assurer qu'il s'investit réellement dans la démarche et qu'il comprend les
concepts vus ensemble. Le coaché, lui, a besoin de savoir qu'il peut faire
confiance, qu'il peut se « livrer » sans crainte.

En plus des notions vues dans les précédents chapitres, regardons les
items suivants :

- Sourire du malaise

- Larmes

- Sampaku

- Clignements de paupières

- Ton, timbre, intonation, pauses sonores, verbatim
- Sourcils
- Démangeaisons des membres supérieurs
- Items d'empathie

Si vous êtes le coach

Le coach a la responsabilité de bien cerner les besoins de son client, de mettre en place les éléments pour établir une relation de confiance, d'écouter sincèrement son interlocuteur et d'adapter ses outils, son approche, son vocabulaire et ses façons de faire pour favoriser le cheminement et l'atteinte des objectifs fixés. Encore une fois, je ne saurais insister sur l'importance de l'authenticité et de l'assertivité, car c'est en offrant un modèle de communication honnête, sincère, dans le respect de soi et de l'autre que le coach favorise le plus le développement de son coaché.

Habituellement, le coaché étant, en quelque sorte, dans une forme de relation d'aide, devrait avoir une figure d'autorité syntonique. En effet, la synergologue Nancy Cromp[101] a pu observer que dans 76 % des cas, le contexte créé par la relation d'aide amène les gens à adopter cette stratégie de communication.

A. Sourire du malaise

Le synergologue et avocat Vincent Denault[102] a mis sur pied une expérience intéressante. Il a demandé à des participants d'écrire tout d'abord sur un bout de papier le nom d'une personne qu'ils aimaient et ensuite, sur un autre bout de papier, le nom d'une personne qu'ils n'aimaient pas. Ces réponses demeuraient confidentielles puisqu'on ne voulait pas les connaitre. Or, il s'est avéré que, dans la seconde partie de l'exercice, M. Denault a observé trois fois plus de sourires et un temps plus long pour compléter la réponse. Pourquoi donc? Tout simplement parce qu'en situation de malaise, l'humain sourit pour gérer son inconfort.

C'est ce que Paul Ekman appelle le sourire embarrassé[103]. C'est un peu le même principe que le rire nerveux. En coaching, il arrive souvent que, lorsqu'on questionne sur une situation vécue désagréable, le sujet baisse le regard, généralement vers la gauche et le sourire apparait. Il ne dure pas et la bouche se referme rapidement (si elle s'est ouverte). Les fentes palpébrales ne participent pas. Les yeux ne présentent donc pas les caractéristiques propres à un véritable état de bien-être et de plaisir.

B. Larmes

Le synergologue Paul Blais[104] a fait une percée importante en 2010 avec son travail sur les larmes. En effet, il a étudié 82 vidéos contenant 89 gestes où des gens essuient leur visage après des sanglots. Or, il a établi que le côté qui est essuyé en premier indique le rapport de responsabilité d'un individu face à la situation exprimée. Ainsi, le côté gauche témoigne du fait que la personne a le sentiment  qu'elle aurait pu changer quelque chose à ce qui est arrivé. Le côté droit présente l'idée qu'elle se sent impuissante et ne croit pas qu'elle aurait pu changer quoi que ce soit.

Ce fait est très important en coaching, car lorsque des sujets plus délicats sont abordés, il arrive fréquemment que des larmes soient versées. Cet indice prend alors toute son utilité et permet de voir la perception de la responsabilité profonde face à un événement.

Lorsque les deux mains sont utilisées en même temps, c'est ce qu'on appelle en synergologie le masque. Il s'agit d'un geste de recadrement. La personne tente de se ressaisir.

C. Sampaku

Lorsqu'une tension est vivement ressentie, le haut du visage remonte. Ainsi, dans la peur, les sourcils se relèvent, les rides horizontales dans le front apparaissent et le blanc du haut de l'œil est nettement plus visible. Les Japonais ont une expression précise pour décrire le phénomène : l'œil sampaku, ce qui signifie «trois points dans le blanc de l'œil»[105].

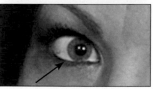

Dans la colère, c'est le blanc du bas de l'œil qui est plus apparent.

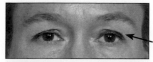

Par ailleurs, lorsqu'une personne a accumulé beaucoup de fatigue, le blanc du bas des yeux est plus visible. La paupière supérieure est aussi plus tombante. Avec le temps, le sampaku s'imprime dans le visage. La peau au-dessus de la paupière embarque par-dessus la paupière. Quand la fatigue émotionnelle perdure dans le temps, la paupière inférieure gauche ne remonte pas totalement.

■ Anecdote 18

Depuis quelques années, une amie me demandait des conseils au sujet de certaines situations au travail qui la perturbaient. Avec le temps, bien des sujets ont été abordés: conflits, difficulté de communication, résistance au changement, harcèlement sexuel et psychologique, intimidation, peur du rejet, syndrome de l'imposteur, etc. Bref, tout un terreau fertile à l'épuisement. Je craignais les conséquences de l'accumulation de ces expériences vécues et je n'étais pas convaincue que l'encadrement reçu était adéquat pour elle. À cela se sont ajoutés des problèmes familiaux. Je savais que mon rôle devait se limiter à des conseils de temps à autre et il pouvait s'écouler quelques semaines entre nos rencontres. À chaque fois, elle trouvait mon coaching bousculant mais révélateur et constructif. Je m'inquiétais par contre de l'apparition d'un léger sampaku. Un jour, après une longue période sans nouvelles, elle a demandé mon aide par texto. Je l'attendais dans un restaurant. J'étais assise sur une banquette près de la porte. Je l'ai vue arrivée. C'est d'abord sa démarche très lourde qui m'a alertée de même que la pronation des mains. Mais une fois installée devant moi, là, j'ai eu un choc. Le sampaku de l'œil droit était non seulement présent mais important. Les clignements de paupières étaient peu nombreux et lents. Et il y avait ces microexpressions de tristesse et de détresse par moments. Je n'ai pas aimé ce que j'ai vu. En fait, j'ai eu très peur. J'ai posé des questions. Les réponses, tant verbales que non-verbales, étaient éloquentes. Ce sampaku que j'avais vu apparaitre plusieurs mois auparavant était bien le commencent d'une longue descente aux enfers de la dépression. Elle ne réalisait pas la gravité de son état, alors je lui ai demandé de prendre une feuille de papier et d'y inscrire les réponses aux questions que j'allais lui poser sur son état: niveau d'appétit, qualité du sommeil, capacité de concentration, etc. Elle a fait une liste d'une quarantaine d'éléments à discuter avec son médecin qu'elle voyait quelques jours plus tard. L'arrêt de travail pour maladie a été bénéfique, de même que l'aide de sa psychologue. En tant que coach, on ne sait jamais dans quel état sera le client, mais, inévitablement, on rencontre dans le cadre de notre pratique des gens en mauvais état. Il importe alors de les référer vers des ressources médicales et psychologiques. Durant les cours de synergologie, je m'étais demandé si je saurais reconnaitre un sampaku si j'en voyais un devant moi. Aujourd'hui, c'est l'un des premiers items que j'évalue en coaching.

D. Clignement de paupières simple et double

Quand cligne-t-on des paupières? Quand on tourne la tête, quand on écoute attentivement (le cerveau emmagasine les informations), quand on cherche un souvenir ou quand une  émotion forte passe. La synergologue Sylvie Bastien[106] a proposé un rapport d'observation sur le double clignement de paupières (deux battements rapides de la même paupière). Elle y a relevé plusieurs études intéressantes

---

sur la nictation en général. Ainsi, une recherche de l'Institut de neurologie de la University College London[107] a permis de comprendre que le cerveau désactive certaines parties du système visuel un peu avant et durant le clignement de paupières, ce qui explique, selon les chercheurs, pourquoi on ne se rend pas compte de ce mouvement la plupart du temps. Cette «pause» de certaines fonctions cérébrales permet un repos et une refocalisation de l'attention sur le sujet.[108] Notons que les femmes clignent deux fois plus que les hommes.

Stem, Walrath et Goldstein (1984)[109] proposent que les clignements traduisent l'état psychologique des patients, puisque le stress et la tension en augmentent le nombre. Ponder et Kennedy (1927)[110] ont constaté que la colère et l'excitation intensifient aussi le clignement et «que cela avait pour effet de réduire la tension mentale.»[111]

Comme l'indique le synergologue Yacine Aiouaz dans son rapport d'observation présenté en 2010 dans le cadre de son étude de la durée des clignements des paupières, S. Garten a fait des observations intéressantes : «...le clignement est modifié par l'attention : lorsque l'attention est fortement concentrée sur une image visuelle ou même sur une impression d'un autre sens ou sur une idée quelconque, on ne cligne pas, ou plutôt on cligne plus rarement qu'à l'ordinaire, mais en revanche, dès que l'état de concentration de l'attention cesse, vient une série de clignements rapprochés...».[112]

Ensuite, Fukuda et Matsuyama ont démontré que le clignement est modéré durant l'assimilation d'information par le cerveau et il augmente une fois que le processus est complété.[113] Sylvie Bastien mentionne aussi que, dans le cadre de son doctorat en psychologie à l'Université de Montréal, Mathieu Roy a étudié l'effet de la musique sur la douleur. Il a ainsi vérifié l'incidence de la musique à partir d'un réflexe émotionnel, soit le clignement des paupières. «Avec la musique désagréable, les clignements sont plus intenses, plus rapides et plus fréquents qu'avec la musique agréable». [114]

> «Joseph LeDoux[115] a démontré que lorsque nous sentons que le moment que nous sommes en train de vivre est un moment vraiment important, le cortex envoie à l'amygdale le signal de retenir ce moment pour que nous puissions nous en souvenir plus précisément. Nous clignons alors très fortement et très longuement des paupières pour ne rien oublier, avoir le sentiment de *garder en nous* le moment, l'instant magique.»[116]

Par ailleurs, à titre informatif, deux solutions européennes, Emotion Toolet et FaceDetect, permettraient de mesurer et de définir l'émotion éprouvée par un individu à la vue d'un contenu. Par exemple, Emotion Tool[117] enregistre, à l'aide d'une caméra, le comportement des yeux (points de fixation, dilatation des pupilles, clignements, etc.) pour en extrapoler la réponse émotionnelle d'un individu.

Sylvie Bastien[118] a constaté que les doubles clignements (deux battements de la même paupière) sont plus présents sur la partie gauche du visage et d'autant plus lorsque les sujets éprouvent des émotions négatives vécues personnellement ou directement liées à soi par un proche. S'ils n'ont été qu'observateurs ou s'ils rapportent des faits vécus par d'autres, beaucoup moins de microréactions sont observées.

Si vous vous présentez aux douanes et qu'on vous demande si vous avez quelque chose à déclarer alors que la fiche de déclaration est entre vos mains et que vos clignements augmentent, vous vous exposez à une fouille minutieuse de vos bagages, alors que si vos clignements conservent le même rythme, vous réduisez cette probabilité. [119]

Le clignement indique plusieurs choses : la peur, la colère, l'assimilation d'information, l'égarement des pensées, etc. Dans tous les cas, ce qu'il importe de retenir, c'est que si le rythme augmente soudainement, c'est qu'il vient de se produire quelque chose dans le cerveau. Quand celui-ci se suspend, l'expression «pas de son, pas d'images» résume bien la situation. Le cerveau s'est mis au neutre !

E. Ton, timbre, intonation, pauses sonores, verbatim

Serge Vaillancourt, synergologue, a analysé l'utilisation des pauses dans le discours. Une hésitation sonore est émise pour aider à chercher une idée, meubler le silence ou conserver le droit de parole. Cette hésitation entraîne très souvent (79 % du temps)[120] un mouvement des yeux vers le bas (quadrant émotionnel) et, chez 86 % des femmes, ce déplacement du regard se produit avant l'hésitation sonore. Dans certains cas, celle-ci peut être associée au mensonge, mais elle reflète aussi régulièrement un simple signe de malaise qui peut être lié à la peur de ne pas être cru, même si l'on dit la vérité !

On sait que si une personne est bouleversée, la tonalité (hauteur) est affectée. En d'autres termes, la voix est plus aiguë.[121] Les cordes vocales se contractent sous l'effet du stress. [122]

Ajoutons un élément sur le choix des mots. Lorsqu'un individu ressent le besoin de débuter par des locutions telles que à dire vrai, pour tout vous dire, pour être honnête, etc., je demeure sceptique sur la véracité des propos qui suivent. David J. Lieberman[123] y voit un signe de mensonge. Disons que je reste sur mes gardes en pareille situation.

■ Anecdote 19

J'ai constaté que lorsque mon conjoint est ennuyé ou préoccupé, sa façon de dire «Je t'aime» est différente. En effet, quand tout va bien, sa phrase se termine sur une tonalité grave qui ponctue le point. Lorsque ça ne va pas, les dernières syllabes sont plus aiguës comme si la phrase se terminait par un point d'exclamation. Cette constatation m'avait frappée dès les premiers

*mois de notre relation à la suite du visionnement d'un épisode de la série
Lie to me. Quelle ne fut pas ma surprise de retrouver le même phénomène
auprès de clients et de collègues.*

F. Concrètement, dans la vraie vie

En coaching, la synergologie revêt tout son sens. Elle permet d'accélérer
le processus. Comment? Tout simplement en vous aiguillant tout de suite
vers les peurs, les blocages, les résistances sous la carapace, les apparences
et les faux-semblants. Très souvent, les coachés vivent des moments émo-
tifs durant les rencontres et cherchent à contenir ce qu'ils ressentent. En
effet, même durant les séances, les gens essaient de donner une belle
image d'eux. Or, un bon coach doit pouvoir discerner le réel du person-
nage créé (apparence).

Ma première question est généralement «Comment ça va?». Quand les
yeux ne participent pas au sourire et que la fin de la phrase se termine par
une note plus aiguë, j'ose émettre des hypothèses. En d'autres termes, je
tends des perches pour offrir à la personne une opportunité d'ouvrir sur
ce qui l'affecte. Le coaché a le choix de se taire ou de parler, sachant fort
bien que nous ne sommes pas là, ni l'un ni l'autre, pour perdre notre temps.
Quand la bouche demeure close, que les bras et les jambes se croisent,
alors je surveille les items plus subtils tels que le sampaku (blanc des yeux),
les clignements et les sourcils. Pourquoi? Parce que si ces derniers froncent,
il est question de concentration ou de colère. S'ils forment une vague, on
est alors dans la tristesse ou la peur. Si le clignement s'accélère et se double
même sur le côté gauche, une émotion forte monte, liée directement à la
personne. Je m'assure alors d'être dans un état réflexif pour accueillir le
coaché avec toute sa sensibilité, son émotivité, sa réaction. Quand les larmes
finissent par couler et que le premier geste pour essuyer se fait sur sa joue
gauche, alors je creuse sur la responsabilité ou sur la culpabilité ressentie.

Si vous êtes le coaché

Le coaché souhaite qu'une relation de confiance s'établisse et qu'il puisse
compter sur la discrétion, l'absence de jugement et le savoir-faire de son
coach pour le guider dans son cheminement.

A. Sourcils

La bouche se meut aisément, tant unilatéralement que bilatéralement. À
titre d'exemple, on peut en effet relever une seule commissure sans bouger
la seconde. On ne peut en dire autant des sourcils qui ne remuent pas
facilement, séparés l'un de l'autre. Plusieurs parviennent à en relever un,
mais pas l'autre. Le mouvement est plutôt unilatéral.

Rappelons que le muscle orbiculaire de l'œil est géré par le système limbique. Cela signifie qu'il réagit aux émotions spontanées. Il ne peut donc pas être mû par la volonté. Il ne se contrôle pas consciemment. Généralement, le sourcil droit est moins bien maîtrisé que le gauche. Inversement, la bouche gauche est moins bien maîtrisée que la bouche droite. Lorsqu'il y a un non-dit ou un camouflage, des dissymétries latérales peuvent apparaître.

Le sourcil gauche qui remonte témoigne de la résistance de la personne à se livrer, à s'impliquer, à se dévoiler. Il y a de la pudeur ou un refus d'engagement. La synergologue Danielle St-Vincent[124] a constaté que «le mouvement ascendant du sourcil gauche est présent lorsque les personnes parlent d'elles-mêmes dans 70% des cas.»

Le sourcil droit met plutôt l'interlocuteur à distance ou indique que l'idée émise lui parait déplacée, idiote, inexacte. Il illustre le scepticisme.

Une recherche[125] a permis de voir que lorsque les gens entrent en contact, «leurs sourcils se lèvent avant qu'ils se disent bonjour. Le chercheur avait démontré à l'époque que ce réflexe inconscient était universel.»[126]

■ *Anecdote 20*

Mon conjoint rigole toujours beaucoup quand il voit le mouvement de mes sourcils. Disons qu'ils sont expressifs et très démonstratifs. Aussi, si je doute de ce qu'il avance, mon sourcil droit remonte en un quart de seconde. Il a vite retenu l'interprétation de ce signe qu'il reconnait maintenant chez ses clients. Il sait alors qu'il doit expliquer ce dont il parle et apporter des arguments convaincants!

B. Démangeaisons des membres supérieurs (bras)

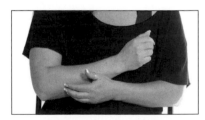

Les démangeaisons… un sujet bien troublant pour plusieurs. Est-ce que vous vous grattez parce que ça vous démange? Bien sûr! Les démangeaisons causées par la libération d'histamine sont fréquentes et leurs causes sont diverses: allergie, urticaire, eczéma, psoriasis, assèchement de la peau, infection, piqûre d'insecte, trouble métabolique, etc. Cependant, lorsque ce type de réaction survient, la sensation est localisée, généralement récurrente et les autres items non verbaux ne collent pas du tout avec l'interprétation synergologique du mouvement. Elle est donc facilement identifiable. Fréquemment, le synergologue prend le temps de valider son hypothèse quand il soupçonne un problème physique.

Or, la grande majorité des démangeaisons ne sont pas de cette nature. Tout d'abord, il importe de savoir que plusieurs recherches ont démontré que «les cortex somato sensoriels de l'insula et de SII sont impliqués dans la production des microdémangeaisons.»[127] Il ne s'agit donc pas de tics. En utilisant l'imagerie de résonance magnétique fonctionnelle (IRMf), Gil Yosipovitch du Wake Forest University Baptist Medical Center a démontré que le fait de se gratter permet de faire tomber le niveau émotionnel.[128] En effet, les zones émotionnelles deviennent atones.[129]  Glen Giesler et ses collègues de l'Université du Minnesota aux États-Unis, ont constaté que le fait de se gratter fait décroître l'activité électrique des neurones spino-thalamiques de 62%.[130] En d'autres mots, cela entraîne une détente! En fait, la conductivité de la peau présente des changements bien avant que l'on perçoive une quelconque sensation.[131]

Par ailleurs, nous savons que, dans les moments de fermeture, il se produit très souvent une vasodilatation en raison de la modification électrodermale, ce qui entraîne de petites démangeaisons.[132]

Bref, quand on ne se sent pas bien et qu'on souhaite se protéger ou refermer notre bulle, l'afflux sanguin est plus important et ça pique! Le corps humain a donc réagi, bien qu'aucune parole n'ait été prononcée et peut-être même à l'insu de la personne. En effet, rappelons que les neurobiologistes ont démontré à l'aide d'images IRM que nos pensées peuvent être censurées ou détournées avant de se rendre jusqu'à un niveau conscient.[133]

Par ailleurs, une recherche fort intéressante de D. Kimura[134] a démontré que les émotions ressenties peuvent enclencher des réactions traduites par de brèves démangeaisons. La main gauche serait alors plus active, peu importe que l'on soit gaucher ou droitier. Une autre étude a confirmé[135] que ces microdémangeaisons témoignent de craintes émotionnelles ressenties. «Elles sont la marque physique d'une vigilance émotionnelle.»[136] Les malades atteints d'une lésion de l'hémisphère droit présentent des réactions amoindries à ces stimuli émotionnels et se «microdémangent» beaucoup moins. [137]

Comme l'expliquent Christine Gagnon et Christian Martineau, «la microdémangeaison apparait lors d'une contradiction entre ce que vous dites et ce que vous pensez ou entre ce que vous faites et ce que vous pensez.»[138]

La démangeaison survient donc parce qu'une vasodilatation se produit et celle-ci arrive parce qu'un signal lui a été donné, lequel, bien entendu, vient du cerveau lui-même. Les travaux de Philippe Turchet sur les démangeaisons sont basés sur des milliers d'heures d'analyse vidéo afin de répertorier chaque point et de valider chaque signification. Je ne reprendrai pas ici l'ensemble des éléments parce que l'on pourrait faire tout un livre uniquement sur ce thème! Examinons cependant les horizons de sens qui sont utiles une fois jumelés avec les autres items synergologiques. La première règle à intégrer est l'importance de la logique hémisphérique qui s'applique inévitablement dans ce domaine aussi :

- Le côté gauche du corps est géré par l'hémisphère droit, celui du lien, de la relation, de la spontanéité, de l'émotivité.

- Le côté droit du corps est géré par l'hémisphère gauche, celui du contrôle du discours, du rationnel, de la logique.

Dans la démangeaison, l'interprétation du côté se fait ainsi :

- Le côté gauche correspond au désir (de se rapprocher, de faire, d'agir, d'aller vers). C'est ce que j'ai envie de faire. C'est le Moi par rapport à l'autre.

- Le côté droit correspond à la norme, à ce qu'il faut faire. C'est ce que j'ai intérêt à faire. C'est l'autre qui est extérieur à moi.

Il y a aussi la face présentée, interne ou externe :

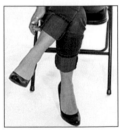

- Interne gauche : j'ai envie

- Interne droit : j'ai intérêt

- Externe gauche : contourner

- Externe droit : détourner pour ne pas faire, se protéger

Face interne de la jambe

Plus les démangeaisons se rapprochent des épaules, plus on est dans l'abstrait. Plus elles se rendent vers les doigts et plus on entre dans le concret. Pour les articulations, l'interprétation générale va comme suit :

- Aisselle : incapacité, impuissance dans une situation

- Coude : oser faire le pas affectivement, oser agir

- Poignet : changement de direction concrète

Le côté droit du corps est géré par l'hémisphère gauche, celui du contrôle du discours, du rationnel, de la logique.

À titre d'exemple, une démangeaison de l'aisselle droite indique que la personne se sent impuissante dans la situation, elle ne sait pas comment intervenir parce que ce n'est pas elle qui a le pouvoir décisionnel. Une démangeaison du coude gauche indique le désir de hâter le rapprochement. Quand c'est le haut de l'épaule droite qui pique, il s'agit d'une situation où la personne sent que quelque chose se trame, se passe au-dessus d'elle (en termes de hiérarchie) et qu'elle doit se méfier. Le fait que le geste soit fait avec la main gauche implique que la personne considère qu'elle doit se protéger, mais sans se fermer.

Ajoutons qu'il a été permis d'observer, lors de diverses expériences synergologiques, des gens qui se grattaient, mais affirmaient, après coup, n'avoir pas ressenti une démangeaison justifiant le geste. En d'autres mots, ils se sont grattés sans que ça pique.

■ *Anecdote 21*

Je discutais avec Christine Gagnon, synergologue, de la publication du présent livre dont la rédaction se complétait. Je me questionnais sur la suite des choses. Sera-t-il accepté par la maison d'édition ? Les lecteurs et critiques seront-ils réceptifs ? Les synergologues l'apprécieront-ils ? Le stress est toujours présent quand on crée une «œuvre». Alors que je lui parlais, je me suis mise à gratter le côté extérieur de mon avant-bras gauche. J'ai remarqué le geste. J'ai eu un sourire et j'ai relevé mon bras vers Christine qui a éclaté de rire. L'interprétation de cet item en disait long. J'étais stressée et «j'avais envie de me protéger».

C. Signes d'empathie

L'empathie fait l'objet de très nombreuses recherches neurophysiologiques fort intéressantes. Elles démontrent que, lorsque l'on voit quelqu'un se blesser, nos propres neurones s'activent dans notre cerveau. En fait, 1/3 des gens vont même ressentir la douleur de l'autre alors que les 2/3 restants présentent l'activation neuronale sans souffrance physique. Inversement, quand on se sent à l'aise avec quelqu'un, que l'on «constate» son empathie et que le contexte s'y prête, il est plus aisé de se confier. Or, comment sait-on si la personne est vraiment «avec nous»?

Des recherches ont démontré que, dès la naissance, les enfants repèrent l'inclinaison latérale de la tête chez leurs parents lorsque ceux-ci sont détendus. Hubert Montagner[139] précise même que, 619 fois sur 678, l'inclinaison établit le renforcement d'un contact. Généralement, l'empathie est plus facilement perceptible lorsque la tête penche à gauche. Cependant, ajoutons que, lorsque deux personnes se font face, celle qui parle domine la communication et celle qui écoute

L'interlocuteur penche la tête à droite. Les deux autres personnes penchent à gauche en effet miroir.

peut adopter un comportement miroir. Elle incline alors la tête dans la même direction. Donc, si je discute et que je penche ma tête à gauche, la personne empathique devant moi risque de pencher sa tête à droite. Inversement, quand on est moins à l'aise avec les propos de l'autre, notre tête peut effectuer un mouvement d'éloignement vis-à-vis l'autre, de mise à distance en l'inclinant dans la direction opposée de son interlocuteur ou en relevant le menton, par exemple. Le même phénomène semble se produire quand les gens ne sont pas sincères et qu'ils sont confrontés.[140]

Grâce à des capteurs installés sur des visages, le chercheur suédois Ulf Dimberg[141] a observé chez des participants de légers mouvements de leurs muscles faciaux correspondant à l'état émotionnel de l'interlocuteur placé devant eux. Aussi, lorsque vous êtes avec quelqu'un, regardez si son mouvement de tête suit le vôtre quand vous parlez. Et analysez votre propre mouvement de tête : êtes-vous réellement en mode écoute face aux conseils prodigués ?

Évidemment, en s'intéressant à l'autre, on a tendance à le regarder plus longuement et plus souvent, ce qui donne à l'interlocuteur le sentiment d'être apprécié.[142] Or, si vous avez l'impression que l'intérêt est feint, qu'il y a un décalage dans la communication, que les mots et les gestes sont incohérents, vous aurez tendance à vous fier au non-verbal. [143]

■ *Anecdote 22*

Lorsque que j'étais en séance de coaching, je me faisais sourire moi-même parce que, inévitablement, quand je n'étais pas d'accord avec le conseil reçu, bien que j'en aie rien dit, ma tête revenait bien droite, face à mon interlocuteur. Je ne suivais pas le mouvement de l'autre. Il n'y avait pas d'effet miroir. Au contraire, je coupais la complicité physique en me redressant, alors que, lorsque j'appréciais les propos du coach et trouvais brillantes ses suggestions, l'inclinaison de ma tête s'orientait dans la même direction que la sienne. Bien souvent, le mouvement précédait la prise de conscience de l'accord ou du désaccord. Mon corps me disait clairement ce qu'il pensait du conseil.

D. Concrètement, dans la vraie vie

Les sourcils sont très utiles pour le coaché. Quand les muscles du front ne bougent pas d'un iota lorsque le coach explique un élément, posez une question à laquelle il ne s'attend pas. Pourquoi ? Tout simplement pour qu'il soit plus présent avec vous et fasse des efforts pour se faire comprendre au lieu de simplement répéter un baratin appris et répété en boucle. Il a peut-être eu, lui aussi, une journée éprouvante. Encore une fois, regardez les axes de tête. Celui qui parle dirige la communication. Celui qui écoute a-t-il un effet miroir avec sa tête ou pas?

Les démangeaisons sont facilement remarquables, mais c'est lorsqu'elles se produisent sur soi-même qu'elles sont les plus révélatrices. Observez-vous! Remarquez à quel moment et sur quelle zone de votre corps vous vous grattez. Demandez-vous ce qui vous a dérangé dans la discussion. Avez-vous l'impression que vous devez passer à l'action, que vous ne serez pas à la hauteur, que vous avez intérêt à vous protéger? En coaching, les démangeaisons sont très révélatrices sur vous-même. Écoutez-les.

VOUS PENSEZ SÉDUIRE GRÂCE À LA SYNERGOLOGIE...

Vous souhaitez apprendre les signes de séduction afin d'obtenir plus de rendez-vous galants? Sachez qu'un non-verbal feint n'active pas les mêmes zones cérébrales et n'entraîne pas les mêmes effets physiologiques. Le corps n'est pas en harmonie... Comment savoir si une personne tente de vous draguer en utilisant la synergologie?

- Elle joue dans ses cheveux, replace une mèche en tirant la pointe vers vous et en orientant sa paume vers vous dans un geste détendu.

- Elle avance son épaule gauche vers vous et fait des mouvements vers vous.

- La main gauche est active quand elle parle, les poignets sont détendus, les gestes sont fluides. Elle garde les mains ouvertes dans votre direction.

- Elle exécute de lents mouvements de rotation de la cheville.

- Elle penche la tête sur sa gauche et sourit beaucoup en tentant d'impliquer les muscles autour des yeux. Elle cligne des yeux.

- Elle mordille sa lèvre inférieure, passe sa langue dessus, y pose un doigt.

- Elle a des gestes d'autocontact, d'autocaresse.

- Elle croise ses jambes vers vous.

Résultat? Ce ne sera pas naturel du tout et vous allez avoir l'impression que votre conquête est complètement timbrée! L'authenticité et la sérénité demeurent les meilleures alliées. Être vraiment bien dans sa peau et être soi-même, voilà la clé!

On respire!

LE SAVIEZ-VOUS ?

Les efforts du mensonge dans le cerveau

Des chercheurs ont analysé les enregistrements vidéo d'interrogatoires de gens soupçonnés de vol, d'incendie criminel, de viol ou de meurtre. Ils ont découvert que le mensonge entraîne une réduction des clignements de paupières, des mouvements des mains et des doigts et un allongement des pauses verbales. Ces signes témoignent des efforts cognitifs associés au fait de mentir.

Les participants d'une autre étude, placés sous scanner, devaient confirmer une série de chiffres présentée ou mentir sur celle-ci. Le mensonge active un réseau de structures cérébrales dans des zones impliquées dans le fonctionnement de la mémoire de travail parce que le processus exige plus d'effort (contrôle cognitif, résolution d'interférence, inhibition).

Le mensonge active aussi le cortex préfrontal rostrolatéral de l'hémisphère droit, une structure connue pour son rôle dans le contrôle cognitif et la régulation de la pensée. De plus, l'activation du gyrus frontal inférieur, région clé des activités d'inhibition, a permis de distinguer les bons des mauvais menteurs.

Source : http://psychotemoins.inist.fr/?Les-efforts-du-mensonge-dans-le-cerveau.

PsychoTémoins
Actualité de la recherche sur les témoignages en justice

Chapitre 8
La rencontre de proposition de services

« Nous habitons notre corps bien avant de le penser. » – Albert Camus

Une rencontre de service implique un fournisseur (vendeur) et un client (acheteur). Chacun a un rôle à jouer. Le premier veut convaincre que son produit, ou son service, est extraordinaire, meilleur ou incomparable et qu'il répondra précisément aux besoins exprimés, alors que le second veut en avoir plus à moindre coût et souhaite  répondre à un problème, changer une dynamique, améliorer la performance ou automatiser une tâche, bref, se simplifier la vie.

Dans la vraie vie, chacun en veut davantage. Un entrepreneur m'a dit un jour : « Prends ce que dit le vendeur et divise-le par trois. Tu auras alors une idée plus juste de ce qu'il a réellement à t'offrir. Inversement, prends les besoins du client et triple-les. Tu auras un portrait plus juste de ce qu'il veut vraiment. ».

En plus des notions vues dans les précédents chapitres, regardons les items suivants :

- Boucles de rétroaction principales

- Façon d'enfiler un vêtement

- Démangeaisons des jambes

- Vrai et faux, non et oui
- Boucles de rétroaction secondaires (manuelles)
- Élérarchie
- Démangeaisons du torse et du cou

Si vous êtes le fournisseur

Le fournisseur souhaite établir une relation de confiance, certes, mais aussi bien déterminer si son client est intéressé, sérieux, solvable et engagé dans la recherche de solutions plutôt que dans l'identification d'un coupable, d'un bouc émissaire ou d'un bourreau. Bien des clients laissent entrevoir une possibilité de contrat, mais, en bout de piste, ils font perdre du temps au représentant pour ensuite aller acheter ailleurs. En d'autres termes, ils magasinent et cela est bien frustrant pour ceux qui prennent le temps de présenter les options, de faire des recherches, de négocier avec leur supérieur. Certains clients considèrent avoir «le droit» d'agir ainsi parce que les vendeurs sont «à leur service» sans réaliser qu'en exagérant, ils brûlent leur propre nom. Ils se demandent ensuite pourquoi, en définitive, ils ne bénéficient pas de la meilleure offre ni du service après-vente hors pair réservé à d'autres. Avec le temps, le fournisseur expérimenté tente de repérer ces clients énergivores pour se consacrer à ceux, plus agréables, qui sont de bonne foi.

A. Boucles de rétroaction principales

Qu'est-ce que les boucles de rétroaction principales? Il s'agit des croisements des bras ou des jambes. Elles portent ce nom en raison de leur forme qui rappelle un nœud et parce qu'elles donnent une information (feedback) importante sur l'état corporel de la personne. Les boucles secondaires sont des mouvements de moindre amplitude comme les croisements des mains.

Pendant longtemps, les boucles de rétroaction principales ont été perçues presque exclusivement comme des signes de fermeture, ce qui était inexact. Elles sont plutôt un indicateur de ce qui se passe en nous et de notre réaction face à l'environnement. Elles peuvent avoir plusieurs significations. Évidemment, il importe d'observer l'ensemble de la posture et plusieurs autres items avant d'émettre une hypothèse, sinon celle-ci pourrait être erronée et fâcheuse.

Les jambes

La lecture des jambes est systémique, c'est-à-dire que le croisement est lié à la situation, aux personnes qui sont autour de l'individu, à l'environnement. Les membres inférieurs sont donc un indicateur de notre réaction face aux autres. Ce qui est intéressant, c'est encore une fois d'observer les changements dans la posture selon l'arrivée d'une personne ou le sujet abordé avec elle. Ainsi, un croisement vers l'interlocuteur est un signe d'ouverture, de bien-être avec l'autre, d'échange.

Dans l'image suivante, les jambes des deux personnes ne croisent pas l'une vers l'autre, mais plutôt vers l'extérieur. Elles ne sont pas dans une relation d'échange et de partage. Chacun est dans sa bulle. Il y a donc un certain malaise ou un inconfort entre les deux.

Lorsque les gens croisent les jambes vers la sortie, il est possible qu'ils aient envie de partir, qu'ils ne soient pas confortables dans la situation, contrairement à quelqu'un qui croiserait vers le fond de la salle ou du bureau. Inversement, ils peuvent aussi croiser vers le lieu de la prochaine activité ou vers quelque chose qui les intéresse davantage.

Si nous avons deux personnes assises côte à côte et que les jambes croisent l'une vers l'autre (en cœur), elles forment leur bulle, elles sont ensemble. Quand l'un croise vers l'autre qui, lui, croise vers l'extérieur, le premier est en ouverture face à l'autre. Le second se replie, se protège. Si les deux croisent vers l'extérieur, il y a une gêne, un froid, un inconfort, pas d'attirance particulière entre elles ou une préférence de discussion avec les autres personnes qui sont autour.

La dame croise ses jambes en direction de la sortie. L'homme a les pieds décalés. Ils sont prêts à partir.

Plus le croisement est haut (sur la cuisse), plus il y a de retenue. Plus le croisement est près des chevilles, plus l'action est proche ou plus la personne est détendue. Quand c'est la cheville qui est posée sur le genou, vers l'autre, il y a un désir de rapprochement sans le caractère sexuel que pourrait avoir l'ouverture des deux jambes (écartement). La jambe peut aussi servir de bouclier de protection, de barrière pour limiter la proximité ou l'envahissement.

Dans l'image suivante, l'homme pose ses pieds sur les pattes de la chaise. Il est donc «désancré». Il peut s'agir d'un inconfort lié au sujet, au contexte, à la personne, à son état émotionnel. La femme croise les chevilles, mais pas dans la direction de l'homme.

Évidemment, avec les croisements, d'autres éléments sont à observer :

- Axes de tête

- Croisements d'ouverture ou de fermeture

- Souplesse ou rigidité de la cheville

Ainsi, quand la tête s'éloigne de son interlocuteur, en penchant dans la direction opposée, il est possible que la personne ne soit pas à l'aise avec le propos, le sujet ou l'individu devant elle. Inversement, si elle incline vers l'autre, elle renforce la bulle, le lien entre eux. Cela témoigne de son accord avec le point de vue, de son bien-être dans la relation, de son affection ou de la séduction qui s'opère.

Une cheville rigide indique une contraction musculaire qui est, logiquement, provoquée par un stress, une rigidité interne. Par ailleurs, il arrive que les gens balancent la jambe croisée. Il faut savoir que les enfants ont un mécanisme de régulation cardiaque qu'ils activent en balançant les jambes. C'est ce que l'on appelle les rythmes ultradiens de haute fréquence[144]. Ce mouvement répétitif permet de gérer l'anxiété et même d'augmenter l'écoute. Le même phénomène est observable chez les adultes en situation de stress ou d'impatience.

■ Anecdote 23

Lorsque je donne des conférences, j'observe évidemment la position sur la chaise des participants et aussi les boucles de rétroaction principales. Cela me permet de voir les éléments qui passent mieux et ceux qui nécessitent plus d'explications. Or, je me souviens d'une fois où une dame avait croisé ses jambes et, lorsque j'ai fait mention de certaines recherches scientifiques venant corroborer mon exposé, elle a relevé le pied au point où je voyais la semelle de son soulier. Je savais fort bien qu'elle venait alors de prendre conscience que c'était vrai, que c'était réellement possible de lire le non-verbal, mais elle avait besoin d'assimiler tout cela. C'était beaucoup pour elle et plein de souvenirs remontaient à la surface. J'ai vu ses yeux s'ouvrir très grand, sa bouche s'entrouvrir, ses sourcils remonter, ses mains se glisser entre ses cuisses, puis tout s'est cristallisé, figé, jusqu'à ce que j'ose nommer sa crainte que je lise son non-verbal. Je lui ai fait un clin d'œil, je

---

x

me suis avancée avec lenteur pour toucher son bras et, à partir de là, elle a posé plein de questions pertinentes et est venue me voir après la conférence.

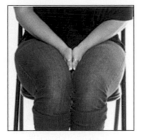

Or, le même comportement est facilement observable chez le client à qui on donne beaucoup d'information en même temps, des données trop techniques ou qui n'est pas prêt à ce type de discussion. Je me souviens d'avoir observé un client à qui le vendeur vantait les mérites d'une nouvelle berline. Mais il insistait tant sur le fait que la promotion se terminait sous peu et qu'il fallait conclure

rapidement que l'acheteur s'enfonçait dans sa chaise et la cheville s'est rapidement crispée. La pression lui était désagréable. Le client s'est retiré en disant qu'il devait en discuter avec sa femme. Évidemment, il n'est pas revenu…

Vous avez peut-être déjà observé le double croisement de jambes. La personne pose une cuisse sur l'autre et vient, en plus, croiser le pied derrière le mollet. Cette position est habituellement très inconfortable et crée une tension dans le genou. Elle témoigne d'un stress important. Si quelqu'un se positionne ainsi, c'est qu'il en a besoin pour protéger «sa bulle». Respectez son choix. Évitez de lui demander de décroiser.

Les bras

La lecture des bras est analytique, c'est-à-dire qu'elle est en lien avec l'état intérieur de la personne et non en réaction à l'environnement. Des recherches[145] démontrent que l'hémisphère droit est actif lorsque nous bougeons nos membres supérieurs et cela a pour fonction l'ouverture émotionnelle.

Dans quelques cas, le croisement des bras peut illustrer de la fermeture, mais très souvent, il indique un besoin de retour sur soi ou de renforcement d'une «bulle» pour mieux absorber ce qui est dit, pour réfléchir, pour se protéger de l'émotivité de l'autre ou simplement parce qu'on a eu une grosse journée et qu'on aurait besoin d'un peu de temps pour soi. Comment départager tout cela?

Un croisement d'ouverture se distingue par une plus grande détente au niveau des épaules et des mains. Ces dernières sont d'ailleurs en mouvement ou visibles pour l'interlocuteur. Il y a un relâchement musculaire plus apparent de l'ensemble du corps.

Dans un croisement de fermeture, on peut remarquer davantage de rigidité dans les poignets qui peuvent être pliés à 90°. Les épaules sont remontées ou tendues, les mains se cachent, les poings se ferment (agressivité). Le croisement des bras est souvent plus haut.

Les chevilles et les poignets sont très représentatifs de supination (ouverture, fluidité) ou de pronation (fermeture, rigidité), tout particulièrement par les rotations et les flexions. Pour maintenir une flexion, il faut une contraction musculaire ou un appui ferme. Nous ne sommes donc pas dans la détente!

■ Anecdote 24

Je suis partie avec l'idée que je ne croisais mes bras que dans un sens et jamais dans l'autre. Philippe Turchet m'avait pourtant prévenue qu'en certaines occasions, un croisement partiellement inversé survient. Pas complètement parce que ce mouvement n'est pas naturel chez moi, mais il y aurait tout de même un changement dans le bras qui est par-dessus. J'étais en première année de synergologie et je n'étais pas convaincue, mais tout de même ouverte à observer. Quelques jours plus tard, lors d'une discussion émotive où je faisais très attention à ce que je disais, quelle ne fut pas ma surprise de voir mon bras gauche se poser sur le droit et la main s'agripper au coude pour être plus confortable. Mince alors, il avait raison! Eh bien, cette posture, je me suis rendue compte ensuite que je l'adoptais beaucoup plus souvent que je ne le croyais. Le croisement est différent de l'autre, mais bien présent et bien réel.

B. Façons d'enfiler un vêtement

Le choix des vêtements que l'on porte témoigne évidemment de notre budget, de nos goûts, de notre appartenance, de la saison, de la température, de notre besoin de protection, de l'activité pratiquée, de nos valeurs, de notre sexe, de notre âge, de notre classe sociale, de notre appartenance religieuse, etc. Le synergologue Ismael Flores[146] s'est intéressé à la dynamique du mouvement d'enlever et de mettre une veste.

Enfiler un vêtement apparait de prime abord comme un geste moteur conscient. Mais, même moi qui pensais mettre mon manteau toujours de la même façon, j'ai pris conscience qu'il m'arrive de changer de côté, tant pour le mettre que pour l'enlever. Ismael Flores s'est donc intéressé à cet aspect et a monté une petite expérience. Les épaules sont le point d'ancrage de la veste. Voyons-les comme des portemanteaux. Rappelons que le côté gauche (contrôlé par l'hémisphère droit) témoigne de la spontanéité et du lien, alors que le droit (contrôlé par l'hémisphère gauche) traduit le contrôle. Ainsi, si je dévoile mon épaule gauche en premier, c'est donc la droite qui sert de portemanteau. Ce côté reste donc «sous tension» pour soutenir la veste. Quand la personne découvre les deux épaules en même temps, il n'y a alors pas d'effet porte-manteau. Il suffit de regarder vers quel côté se dirige le vêtement pour voir le sens du mouvement. La personne nous démontre qu'elle «n'éprouve pas la nécessité de conserver une quelconque tension dans ses épaules»[147]. Pour ce qui est du fait d'enfiler sa veste, encore une fois, il suffit d'identifier l'épaule portemanteau, donc celle qui est recouverte en premier. Or, quand on analyse simultanément d'autres items tels que les trois axes de tête, le quadrant du regard, les démangeaisons, la posture, le sampaku, etc., on constate que tout concorde. En situation de malaise, de refus de converser, d'inquiétude, l'épaule droite sert de porte-manteau. Quand la personne est confortable dans la situation, c'est la gauche qui joue ce rôle. Et, avant que vous ne posiez la question, oui, le fait d'être gaucher ou droitier a été analysé, mais quelle que soit la préférence ou la prédominance, les constats restent les mêmes. En bref, ce qu'il importe de retenir, c'est :

- Épaule droite portemanteau : il y a un certain contrôle dans l'échange ;

- Épaule gauche portemanteau : il y a plus d'ouverture et un désir de prendre sa place ;

- Pas d'épaule portemanteau : la personne prend part à l'échange avec une certaine spontanéité.

■ Anecdote 25

Je me souviens d'un client qui avait pris beaucoup de temps avant d'enlever son manteau. C'était ma première rencontre individuelle avec lui. Il avait assisté à l'une de mes formations et m'avait offert un autre mandat, pour son équipe cette fois, à qui j'avais donné un atelier très personnalisé pour améliorer les relations de travail. Le temps était venu de présenter mes conclusions à l'ensemble. Me voilà donc dans son bureau, assise confortablement dans un fauteuil. Mon client, lui, reste debout derrière sa chaise, bien appuyé sur le dossier, et il garde son manteau, bien que la température ambiante favorise plutôt l'allègement vestimentaire. Or, ne pas ôter ce vêtement qui couvre, c'est aussi une façon de garder l'autre (ou la situation à affronter) à distance. Cela peut témoigner d'une volonté d'échanges plus restreinte, voire inexistante, d'un refus de prendre place dans le lieu, d'un besoin de protection de sa bulle. Plusieurs items m'indiquaient le malaise de mon client et l'ancrage (appui sur le dossier de la chaise), la position des pieds au sol (très collés), le transfert de poids vers l'arrière gauche (fuite) venaient corroborer cette hypothèse. Je l'ai donc fait parler, ce qui m'a permis d'apprendre les derniers événements de la semaine et sa crainte face à la réaction émotive de trois de ses employés devant la rencontre à venir. Ventiler lui a permis de diminuer son propre trop plein d'émotivité et nous avons pu ensuite revoir le plan d'action.

C. Démangeaisons des jambes

Les démangeaisons au niveau des jambes apportent des précisions fort intéressantes. Mentionnons d'emblée qu'avant d'être enseignées en synergologie, elles ont fait l'objet d'une analyse de plusieurs centaines de vidéos par Philippe Turchet, parce que peu de recherches portaient sur le sujet à l'époque. Aujourd'hui, nous savons qu'en situation de stress et de malaise, le corps ressent diverses démangeaisons. Celles au niveau des jambes surviennent lorsque l'individu souhaite partir, s'éloigner ou, au contraire, se rapprocher mais ne peut pas le faire. Encore une fois, la contradiction entre la volonté (parfois plus ou moins consciente) et la réalité affirmée fait réagir le corps. Il y a une distinction entre les articulations et les membres. Examinons tout d'abord le premier cas.

Les articulations, comme le mentionne si bien Philippe Turchet, «expriment nos difficultés à engager tout son être, à grandir, à s'ouvrir dans l'espace»[148]. Il y a les hanches, les genoux et les chevilles, allant ainsi du plus abstrait au plus concret.

- Hanches: lien social dans l'espace, volonté d'impulser un mouvement, d'enchaîner, d'amener l'autre vers un but.

- Genoux: sentiment d'être (ou non) à la hauteur, d'être capable.

- Chevilles: volonté (ou non) de faire un pas supplémentaire, de prendre une direction ou de se rapprocher, de s'ouvrir à l'autre.

Le côté droit correspond ici à la norme, ce qui doit être fait, ce que l'on a intérêt à faire, alors que le gauche correspond à ce que l'on veut, désire ou souhaite faire, voire au plaisir et à l'excitation. Retenons donc les termes **Normes** et **Désir**. Lorsque la démangeaison survient à l'arrière de la jambe, l'horizon de sens est le suivant:

- Droit: se détourner pour ne pas faire.

- Gauche: contourner pour faire.

Pour ce qui est des membres inférieurs (cuisses, jambes), le principe de Normes et de Désir est le même. L'idée de pensée plus abstraite près de la hanche et de plus concrète vers la cheville revient. Encore une fois, le côté gauche témoigne du désir d'aller vers l'autre, de s'ouvrir, alors que le droit illustre l'intérêt à se déplacer, à agir.

Je lis en vous... savez-vous lire en moi?

■ Anecdote 26

Un synergologue m'avait fait remarquer qu'au début d'une entrevue télévisée, j'avais eu une démangeaison au niveau du genou. J'étais nerveuse et je ne voulais pas décevoir... j'avais peur de ne pas être à la hauteur!

À plusieurs reprises, j'ai surpris ce même geste chez des clients. Je demande alors s'ils sont les décideurs ou seulement des rapporteurs qui doivent soumettre leurs analyses à un supérieur immédiat. Il s'est avéré qu'ils n'avaient aucun pouvoir décisionnel et craignaient de se tromper dans leurs recommandations.

■ Anecdote 27

Il y a peu de temps, mon conjoint et moi sommes allés à un 5 à 7 de gens d'affaires. Nous étions debout et discutions avec différentes personnes. Nous avons décidé d'aller nous asseoir. Je m'apprêtais à m'asseoir en face de lui quand une jeune dame s'est précipitée pour choisir le siège devant mon conjoint. J'ai été surprise (mon conjoint aussi). Je me suis donc assise de biais. Cette dame, dont je ne connaissais pas l'identité, était assise à ma gauche. Au bout de quelques minutes, force m'a été de constater qu'elle m'ignorait totalement et ne réservait ses propos que pour mon conjoint assis devant elle, sans savoir le lien qui nous unissait, lui et moi. Très rapidement, les signes de séduction féminine sont apparus. L'épaule gauche s'est avancée, la tête s'est penchée sur la gauche, l'œil gauche bien en évidence. Quelques mouvements de langue sur la lèvre inférieure et des déplacements de cheveux sont aussi venus s'ajouter à cette évidente démonstration. Puis elle s'est mise à se pencher pour mettre en valeur son décolleté. Innocemment, une de ses mains a procédé à des microcaresses sur le haut de sa poitrine, son cou, etc.

Mon conjoint, lui, parlait affaires et démontrait un intérêt rationnel : épaule droite en avant, main droite active, œil droit plus grand. Ses jambes étaient croisées dans ma direction, son corps était orienté vers moi. J'ai constaté la différence de communication des deux interlocuteurs. Inévitablement, mon conjoint a perçu le décalage et m'a questionnée du regard. J'ai mimé le geste de la dame quant au déplacement des cheveux et aux mouvements de langue. Il a compris. Il s'est empressé de lui dire : «Est-ce que je vous ai présenté ma conjointe, Annabelle Boyer? Elle est synergologue. Elle lit le non-verbal!» Je vous laisse deviner la réaction de la dame et tous ses signes de malaise. J'ai retenu un fou rire devant la déglutition étranglée, le rougissement spontané, l'apparition de la main devant la bouche, la contraction importante des épaules et de la mâchoire, le croisement rigide des bras et la fermeture des poings. Il s'en est suivi de très fortes démangeaisons des jambes. Elle aurait voulu fuir le plus vite possible... ce qu'elle a fini par faire au bout de quelques minutes!

D. Vraix et faux non et oui

En raison de la logique hémisphérique, un vrai non, c'est quand quelqu'un répond non et le pense réellement. Le tout premier mouvement de tête se fait vers la gauche de la personne. Elle vous présente donc l'œil droit d'abord (et donc l'oreille droite), celui de la logique, du raisonnement, du discours. Mais il y a un bémol, le faux non, donc un non qui présente d'abord

l'œil gauche et qui n'a plus aucune valeur entre conjoints, car la relation va primer sur l'authenticité de la réponse et va créer les caractéristiques d'un faux non pourtant véridique.

Un vrai oui implique que le tout premier mouvement de menton se fasse en descendant. Il peut être très subtil et beaucoup plus difficile à voir en temps réel. L'utilisation d'une caméra et le visionnement au ralenti permet d'exercer l'oeil. Quand la tête se déplace vers l'arrière au départ, il vaut mieux poser davantage de questions parce que quelque chose n'est pas clair. La

personne peut réfléchir à autre chose en même temps qu'elle vous répond. Elle peut douter de sa mémoire. Elle peut imaginer votre réaction si la réponse avait été différente. Bref, encourager le dialogue sans accuser.

E. Concrètement, dans la vraie vie

Une rencontre de proposition de services, c'est un exercice de relation de confiance. Il importe de cibler rapidement à quel type de client vous avez affaire. Quand, dès le début de la rencontre, mon client enlève son manteau en finissant par la droite, s'assoit en retrait, croise ses jambes vers la sortie et gratte ses mollets, je sais bien que la vente a peu de chances de se produire parce qu'il a déjà hâte de partir! S'il se positionne en analyse avec l'index sur la bouche et avance en avant à droite, attention, car j'ai intérêt à bien connaitre mon dossier parce qu'il pense avoir trouvé des arguments béton pour me confronter. Inversement, s'il s'avance sur sa gauche, je souris, car il n'a rien trouvé de bien convainquant à redire et reste dans le lien. Les démangeaisons des genoux (peur de ne pas être à la hauteur) me poussent souvent à revoir ma stratégie pour outiller davantage mon client. A-t-il une reddition de compte à faire à la suite de notre rencontre? Est-il vraiment le décideur? Inutile de dire que j'observe alors très étroitement s'il s'agira d'une réponse (oui ou non) véridique. À chaque fois que j'ai un doute, je pose des questions.

Si vous êtes le client

Un client souhaite trouver ce dont il a besoin, ne pas se faire avoir, savoir s'il peut avoir confiance en son fournisseur, payer un prix raisonnable et obtenir le soutien qui lui est utile.

A. Boucles de rétroaction secondaires (manuelles)

Il s'agit ici des positions où les mains sont jointes. Examinons tout d'abord un premier élément. Avez-vous déjà remarqué que, à la fin d'un spectacle, quand les gens ont particulièrement apprécié le chanteur ou la pièce, ils applaudissent avec les mains hautes, devant leur cou, leur visage voire même au-dessus de leur tête. Inversement, quand ils sont tièdes devant ce qui leur a été présenté, les applaudissements sont bas, près de la ceinture ou  du nombril. La hauteur, que l'on nomme éléfaction en synergologie, témoigne de la satisfaction et de l'affirmation de soi. Ainsi, dans les boucles de rétroaction manuelles, lorsque le mouvement est :

- Ascendant : j'assume, je suis un leader, je suis dominant ;
- Horizontal : je suis dans le lien, ensemble ;
- Descendant : je ne me mettrai pas de l'avant, soumission.

Voyons maintenant les différentes positions possibles :

- Mains jointes : propos tranchants ou rallier les parties.
    - A : je suis l'autorité et je veux rallier les parties ;
    - H : propos tranchants ;
    - D : en charge de ramener, mais je ne veux pas me mettre de l'avant, je veux laisser les autres travailler.

- Mains en prises (une main sur l'autre) : contrôle du discours (droite sur gauche) et contrôle des émotions (gauche sur droite).
    - A : j'assume, je suis leader, je suis dominant ;
    - H : je suis dans le lien ;
    - D : je ne me mettrai pas de l'avant, soumission ;

    - Dans le dos : connotation négative, je me retire, garde quelque chose pour moi (cache mes stratégies) ou n'ai rien à protéger, ne me sens pas concerné, retenu dans la situation.

L'idée ici est la prise en otage de la main. L'intérêt, c'est la main qui ne peut plus bouger.

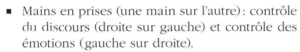

- Couteaux ouverts: agressivité. Le corps est tendu, en hypertonie. Si une main est ouverte et l'autre fermée, ce qui compte, c'est la main ouverte.

  - Main droite qui pointe: j'attaque;
  - Main gauche qui pointe: je me protège, je me défends.

- Couteaux fermés: protection et retour sur soi.

  - Mouvement ascendant: protection de l'ego. C'est une position très souvent adoptée lors des rencontres avec des clients, des fournisseurs, des collègues.

- Mains en berceau (main qui soutient car elle est la plus forte): ouverture. Qu'est-ce que je soutiens?: mon discours (droite sur le dessus) ou mes émotions (gauche sur le dessus).

  - Mouvement ascendant: plus d'hypertonie, dominant, ouvert.

- Mains lavées: ancrage personnel de satisfaction (pensez au mouvement que fait Séraphin quand il parle de son argent) ou de stress, de nervosité ou de malaise. Quand la personne n'est pas sûre d'elle-même, elle a besoin d'ancrage. S'il n'est pas possible de prendre appui sur un meuble, elle s'auto-ancre (microcaresse, geste de réconfort ou mains lavées). Évidemment, il faut porter attention à la température de la pièce. S'il fait froid, le même geste sera visiblement pour réchauffer les mains. Un geste ascendant indique un besoin de protéger l'ego (par exemple, je veux intervenir en réunion, mais j'ai peur de la réaction des autres). Il faut se rappeler que cette boucle de rétroaction secondaire est en mouvement. Elle n'est pas fixe comme les autres.

- Mains en V (les paumes ne se touchent pas): globalement, traduit en monologue, ce serait: Je suis l'autorité, je suis en haut de la pyramide ou dans la hiérarchie, je sais, j'ai la connaissance, je vais vous démontrer mon savoir.

  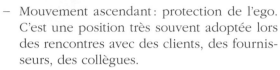

  - A: Je sais, et ce, tout le temps. Je vais vous faire part de mon savoir.
  - H: Je sais dans la situation actuelle, je vais partager mes connaissances et nous allons cheminer ensemble.
  - D: Je sais que je ne me mettrai pas de l'avant; j'ai des connaissances mais je n'ose pas m'imposer.

- Mains en pistolets (couteaux en pistolets): j'ai un argument fort que je vais vous exposer avec fermeté. Mouvement ascendant (mains devant la bouche): monter aux barricades. Je me sens puissant.

- Mains en couteaux renversés: je suis partagé entre deux points de vue, deux idées, deux personnes. Généralement, les mains n'adoptent cette position qu'un court instant pour ensuite se séparer.

■ Anecdote 28

Lorsque je rencontre des fournisseurs ou des partenaires d'affaires, inévitablement, j'observe les mains. Or, lors d'une discussion, j'ai été très surprise de voir la main droite de mon interlocuteur bien agrippé au poignet gauche. Lui qui gesticule pourtant beaucoup en temps normal, demeurait bien immobile dans cette position de contrôle des émotions. Je me suis mise à observer tout le reste: les axes de tête (axe rotatif droit, axe sagittal inférieur, axe latéral droit), les mouvements des épaules (figées), les commissures des lèvres (tombantes), l'arc des sourcils (pointes intérieures remontantes), posture sur la chaise (affaissée), position des pieds (désancrée), etc. J'ai donc compris qu'une peine importante le submergeait et qu'il valait mieux reporter la discussion d'affaires à plus tard pour se préoccuper de l'état émotionnel de mon interlocuteur. Poursuivre sur le plan rationnel aurait été vain. Il n'aurait rien signé puisqu'il était en mode protection. J'aurais perdu mon temps et lui aussi. Il se serait simplement retiré dans ses tranchées et son point de vue, très affecté par son état, aurait été biaisé et cristallisé.

B. Élérarchie et rapport d'autorité

Christian Martineau, synergologue, avait émis l'idée de l'élérarchie[149], c'est-à-dire le besoin qu'éprouve une personne de se surélever physiquement par rapport à une autre. En effet, durant une conversation en position debout, les interlocuteurs peuvent demeurer au même niveau, mais ils peuvent aussi s'élever ou s'abaisser par rapport aux autres. Cela devient possible lorsqu'il y une marche, un escalier, une pente, etc. Il s'agit alors d'une macropréhension. En d'autres termes, si la personne veut se donner un peu plus d'autorité, elle va se positionner plus haut. Rappelez-vous la scène dans Harry Potter où une discussion entre la professeure Ombrage et la professeure McGonagall se déroule dans un escalier. Peu à peu, déconfite, Mme McGonagall descend une marche alors que Mme Ombrage remonte pour se donner de la prestance.

Une autre façon d'établir son autorité est de mettre les mains sur les hanches : à gauche pour le plan personnel et à droite pour le plan professionnel. Les deux mains sur les hanches impliquent un positionnement très affirmé, très campé.

C. Démangeaisons du torse, du cou

Le cou, en synergologie, représente la zone de la communication alors que le torse est davantage celui de l'ego. Rappelons que, dans les moments de fermeture, on observe de petites démangeaisons.[150] Elles ont donc un caractère plus négatif que les microcaresses ou les microfixations. Selon les observations de Philippe Turchet[151], l'interprétation, dans la mesure où les autres items non verbaux sont cohérents, pourrait se traduire ainsi :

- Côté avant droit du cou : il m'énerve, je l'ai en travers de la gorge et je vais réagir.

- Côté avant gauche du cou : je suis blessé, leurs propos m'énervent et je vais finir par le dire.

- Devant du cou : j'ai très envie de dire ce qui ne va pas.

- Côté arrière droit du cou : il m'énerve, je ne veux pas parler de ça (se sauver, partir).

- Côté arrière gauche du cou : quelque chose de personnel m'énerve mais je préfère le garder pour moi. Je ne sais pas comment passer mon message.

- Derrière du cou, au centre : je ne te dirai pas ce qui ne va pas.

Pour ce qui est du torse, l'interprétation est la suivante :

CÔTÉ DROIT

① Côté avant droit du torse (sur le haut du pectoral) : Cette personne m'est extérieure et j'ai intérêt à l'aider davantage.

② Sur le sein droit : Il faudrait que je donne, mais je n'en ai pas vraiment envie.

③ Devant du torse (haut du sternum) : L'attitude de l'autre m'énerve.

CÔTÉ GAUCHE

④ Pointe du sternum : Besoin ou nécessité de prendre sa place.

⑤ Côté avant gauche du torse (sur le haut du pectoral) : Je pourrais donner plus, aider davantage si j'osais ou si on me le demande.

⑥ Sur le sein gauche : Désir de donner.

Inversement, dans le dos, on retrouve :

① Au centre : La position hiérarchique de l'autre me contraint à me taire (je ne peux pas tout dire).

② À gauche : il faut hâter le mouvement, le faire maintenant. Plus vite, on a assez perdu de temps.

③ À droite :il faudrait vite s'en aller avant de se faire prendre.

■ *Anecdote 29*

Il y a plusieurs années, je suivais un cours et une participante avait toujours un commentaire à faire. Elle avait lu un article, assisté à une conférence, suivi une formation, regardé un reportage, bref, elle avait continuellement une information à apporter qui, à mon point de vue, n'avait pas de réel lien avec le contenu du cours, mais visait davantage à la mettre en valeur. Or, lorsqu'un autre membre du groupe a voulu faire part d'une information, elle s'est objectée en affirmant qu'elle était là pour écouter le professeur et non les autres! Sur le coup, le professeur n'a pas su comment réagir et il a figé. J'étais hors de moi. Je n'acceptais pas ce que j'entendais, mais comme le professeur ne réagissait pas, je m'empêchais d'intervenir. Je bouillais sur ma chaise. Je n'étais pas en charge du cours. Je n'étais qu'une étudiante parmi d'autres et je me voyais mal «passer par-dessus» le professeur pour réagir! Qui étais-je pour protester? Et c'est alors qu'une très forte démangeaison dans le haut de mon dos s'est manifestée. Je me suis dit que je ne pouvais pas rester là à ne rien faire. Une seconde démangeaison est survenue sur le cou, côté droit, en avant. J'avais vraiment cette personne en travers de la gorge. J'ai pris plusieurs inspirations pour parvenir à dire quelque chose de constructif pour que le message passe efficacement. Ma propre réaction m'a marquée. Quand je rencontre des clients et que l'employé a ce type de démangeaison en entendant son supérieur parler, je sais que quelque chose cloche et l'irrite sérieusement, alors je pose des questions inattendues pour que l'information véridique et complète sorte.

D. Concrètement, dans la vraie vie

Quand le fournisseur est détendu, que le sourire est franc et qu'il parle avec passion de ses produits et services, on se sent généralement en confiance. Mais c'est lorsque l'on dénote une certaine tension, un peu d'insistance ou un empressement à conclure que ça nous semble louche. Les fournisseurs sont là pour vendre leurs produits et services. C'est la base même de leurs relations d'affaires. Les plus consciencieux vous le disent s'ils ne peuvent pas répondre à votre besoin. Or, il se peut qu'il soit un excellent fournisseur, mais que le mois ait été mauvais et qu'il ait réellement besoin de ce contrat. Ça ne fait pas de lui un menteur. Ça fait de lui un entrepreneur stressé.

Quand les mains se positionnent en V inversé (les paumes ne se touchent pas, mais les doigts sont collés), que la personne ressent le besoin de se sur-élever physiquement par rapport à moi, je me demande alors si elle se sent réellement supérieure par son savoir ou si elle essaie de m'en convaincre.

Les doigts croisés à moitié repliés apparaissent souvent accompagnés d'un croisement de jambes et d'une fermeture de la bouche puisqu'ils tra-duisent un malaise, un inconfort. La conversation ne part donc pas sur des bases solides. Il vaut mieux faire le point sur les attentes respectives. Quand des démangeaisons du cou ou du torse surviennent, c'est d'autant plus important de revoir la relation parce que quelque chose ne passe pas dans la communication.

VOUS ÊTES DÉCONCENTRÉ PAR UN DÉTAIL

Vous prenez un café en bonne compagnie lorsqu'un détail attire votre atten-tion. La personne assise en face de vous déguste son breuvage, certes, mais elle a une curieuse façon de tenir sa tasse. En effet, elle a passé uniquement le majeur dans l'anse qu'elle a orientée vers vous et, du bout de ce doigt, caresse inconsciemment la porcelaine. Ce geste de préhension peut indiquer un désir de rapprochement, disons, intime. Vous relevez donc la tête et vous remarquez alors d'autres éléments.

- Bien que l'éclairage soit excellent, les pupilles de votre interlocuteur sont dilatées, tout particulière la droite.

- Même si votre interlocuteur ne parle pas, sa bouche demeure entrouverte.

- Votre interlocuteur passe sa main dans ses cheveux avec nonchalance et fluidité. Le mouvement est doux.

- Votre interlocuteur garde les mains sur la table ainsi que les objets au centre de la table plutôt que de les écarter.

- L'épaule gauche bouge davantage que la droite, tout comme la main gauche.

Il y a aussi une augmentation de la température au niveau des parties génitales et des seins, une accélération du rythme cardiaque, etc. Prenez une grande respiration. La pulsion sexuelle visible est une réaction physiologique non rationnelle, souvent inconsciente et tout à fait humaine, alors on se calme !

On respire !

Je lis en vous… savez-vous lire en moi ?

LE SAVIEZ-VOUS ?

Les yeux révèlent l'orientation sexuelle

La pupille de l'œil se dilate davantage lorsqu'une personne est attirée sexuellement, ce qui permet d'identifier l'identité sexuelle, selon une étude publiée dans la revue *PloS ONE*.

Ritch Savin-Williams et Gerulf Rieger, de l'Université Cornell, ont mené cette étude avec 325 participants des deux sexes. Deux vidéos érotiques d'une minute mettant en scène soit un homme attrayant, soit une femme attrayante ainsi que des vidéos non-érotiques leur étaient présentées. La dilatation des pupilles étaient mesurée au moyen d'une caméra à lentille infrarouge. Comme les études précédentes le démontraient, les hommes hétérosexuels avaient une forte réponse pupillaire à une vidéo mettant en scène la femme et peu à celle montrant l'homme ; alors que les femmes hétérosexuelles réagissaient aux deux types de vidéos, ce qui confirme que les femmes et les hommes ont des types différents de sexualité. Les femmes lesbiennes, comme les hommes gays, ne présentaient une plus grande dilatation pupillaire qu'en réponse à la vidéo montrant une personne de même sexe.

Les hommes bisexuels étaient attirés par les deux sexes. Ce nouveau moyen de mesurer l'identité sexuelle facilitera la recherche dans ce domaine.

Source : www.psychomedia.qc.ca/orientation-sexuelle/2012-08-06/nouvelle-mesure-dilation-pupille.

Psychomédia
En ligne depuis 16 ans

Chapitre 9
La formation ou la conférence

«Là où l'esprit souffre, le corps souffre aussi.» - Paracelse

Une formation ou une conférence est une merveilleuse opportunité d'observation de ses semblables. Le formateur ou le conférencier veut savoir si sa matière est comprise, si son approche passe bien, si les gens sont satisfaits de la séance. Les participants veulent savoir si l'expert devant eux en est réellement un, si les résultats promis sont exacts ou gonflés, s'ils peuvent lui faire confiance. En plus des notions vues dans les précédents chapitres, regardons les items suivants :

- Cheveux
- Théorie des 5 M
- Émotions
- Goutte de malaise

- Ancrage et recadrage
- Discordance main et tête
- Microcaresses

Si vous êtes le formateur ou le conférencier

Un formateur expérimenté cherche à «décoder» son auditoire pour savoir si ça va ou si ça ne va pas du tout. Ici aussi, la position sur la chaise revêt un caractère des plus pertinents. Je vous invite donc à revoir les quelques pages à ce sujet. À cela, j'ajoute quelques éléments intéressants à garder en tête lorsque l'on veut «lire» un groupe.

A. Cheveux

Comme le mentionne Philippe Turchet dans les cours de synergologie, les cheveux n'ont guère la sensibilité des autres parties du corps. Si je touche la pointe de ceux-ci, je ne ressentirai que le mouvement que cela va provoquer et non le contact sur eux comme tel. L'implication de la main est pratiquement toujours nécessaire dans le déplacement. Celle-ci joue un rôle prépondérant dans l'analyse des microcaresses des cheveux. Les gestes liés à la chevelure ont souvent un aspect empreint de douceur ou, au contraire, de rectitude. La compréhension du déplacement de la main devient un atout indéniable dans l'interprétation. Évidemment, le rapport varie selon la longueur et la nécessité de les «discipliner» ou pas. Les règles de lecture sont les suivantes:

- la main qui intervient;
- la direction de la main;
- la configuration de la main (doigts – supinatrice ou pronatrice).

La main qui intervient

La main active indique l'hémisphère cérébral en action. La droite traduit donc davantage la rectitude et le contrôle. Le mouvement est alors plus passif. La gauche illustre le lien ou le rapport à l'autre avec une certaine lascivité. L'interlocuteur est placé dans ce que l'on appelle l'egobulle, dans la bulle personnelle.

La direction de la main

Lorsque la personne passe la main dans ses cheveux et l'envoie vers l'interlocuteur, elle va chercher ce dernier, elle indique qu'elle est bien avec lui. Inversement, si le mouvement va plutôt vers l'extérieur (sur le côté ou vers l'arrière), cela indique que la personne qui exécute le geste souhaite s'éloigner pour réfléchir ou alors elle pense à un autre sujet que celui discuté. Elle est ailleurs, elle veut décaler sa pensée ou prendre du recul. Nous sommes alors dans un mode de réflexion. Si la main se dirige vers l'arrière de la tête, la personne désire sortir de cet environnement, avec ou sans son interlocuteur.

La femme empoigne ses cheveux pour contenir l'émotion négative. Axe rotatif neutre, axe latéral gauche, axe sagittal inférieur: dévalorisation. Bouche fermée: retient son propos.

La configuration de la main

La grande question est de savoir si la main est en supination, c'est-à-dire ouverte et détendue, ou bien en pronation, fermée ou renversée, la paume étant alors non visible pour l'interlocuteur.

SCHÉMA DES GESTES DE PRÉHENSION DES CHEVEUX[152]

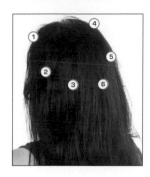

CÔTÉ GAUCHE

① Avant : désir lascif de communication avec l'autre.

② Milieu : désir lascif de décaler sa réflexion.

③ Arrière : désir d'échanger dans un environnement extérieur avec l'autre.

CÔTÉ DROIT

④ Avant : besoin actif de communication avec l'autre.

⑤ Milieu : besoin actif de décaler la réflexion.

⑥ Arrière : besoin actif de sortir d'une situation avec l'autre.

Les types de contact

Il existe plusieurs gestes liés aux cheveux. La synergologue Tania Desjardins[153] a pris le temps de les décortiquer à la suite de l'analyse de plusieurs dizaines de vidéos. Voici le résumé de ses observations :

- Placement d'une mèche derrière l'oreille : recadrer ses idées, repositionnement, recul, retour sur soi pour réfléchir. À droite, le mouvement est plus interrogatif. La personne peut se demander si ce qu'elle dit est satisfaisant ou adéquant. À gauche, il peut y avoir un signe de coquetterie, de séduction (surtout si la pointe des cheveux est dirigée vers l'interlocuteur) ou une indication que la personne est touchée par les propos. Un geste derrière les deux oreilles témoigne davantage de l'intensité de la réflexion : quoi dire, comment s'en sortir, par quoi commencer.

- Lancement des cheveux (avec ou sans main) vers l'arrière : le geste est souvent brusque et rappelle le rejet de la M5. À droite, c'est l'image que l'autre projette qui est rejetée. À gauche, c'est sa propre image qui est rejetée. Avec ses deux mains, la personne rejette la conversation.

- Lancement de la frange sans main : le mouvement de tête repousse les cheveux. Il s'agit d'un rejet de l'image (à droite) ou, au contraire, d'une façon d'indiquer que la personne aime l'image de séduction projetée (à gauche). Pensez à la vedette qui replace son toupet sans y toucher, uniquement en effectuant un large mouvement de la tête.

- Brossage et peignage : envie de sortir de la situation difficile, de se démêler dans tout cela, de se dépêtrer. Quand le geste se termine à l'arrière, il y a un désir de fuite, de détachement, d'évacuation de la lourdeur. Quand il s'arrête à l'avant, il y a un intérêt dans la situation ou de la séduction. À droite,  c'est extérieur à l'interlocuteur, et à gauche, la personne est personnellement impliquée. Avec les deux mains, c'est que la situation est compliquée et énervante !

- Rotation, enroulement d'une mèche : réflexion, mise en cause pour un sujet qui concerne l'autre (à droite) ou qui me fait hésiter, me met en attente (à gauche). Vers l'avant, idée d'aller vers l'autre ; vers l'arrière, se dissocier.

- Essuyage de la frange sur le front : le mouvement part du front, ce qui traduit la réflexion qui y est liée. Il peut s'agir d'une image qui dérange, agace, rend mal à l'aise, que l'on repousse tout en souhaitant demeurer discret à son sujet. À droite, extérieur à la personne ; à gauche, une image personnelle.

- Lissage des cheveux : besoin de se calmer relativement à des propos qui concernent l'autre (à droite) ou moi-même (à gauche).

B. Théorie des 5 M

Lorsqu'on analyse le non-verbal, il importe de garder à l'esprit que la réaction de l'interlocuteur peut être liée à plusieurs facteurs. En synergologie, on parle de trois attitudes. En effet, l'autre peut être dans un état dit spéculatif, c'est-à-dire qu'il est «dans sa tête». Il pense à autre chose. Son non-verbal correspond à ses pensées et non à ce que vous lui racontez ou aux gens qui l'entourent. L'interlocuteur peut aussi être dans un état dit spéculaire, soit l'effet miroir. Il est alors davantage en lien avec vous, avec votre message. Il réagit en fonction de vous. Enfin, il peut être spectaculaire, c'est-à-dire très démonstratif de ce qu'il ressent ou affirme. Quand quelqu'un a un truc à vous vendre, il se trouve dans un tel état. Voilà pourquoi il importe de se construire une base de référence quand on souhaite analyser le non-verbal et pourquoi la lecture doit se baser sur un amalgame d'items et non sur quelques éléments seulement. En formation, ces trois distinctions (spéculatif, spéculaire et spectaculaire) de même que la théorie des 5 M qui va suivre sont très importants.

Ainsi donc, Philippe Turchet[154] et Christine Gagnon[155] ont catégorisé les réactions selon cinq angles, que l'on appelle, en synergologie, les 5 M[156]. Lors d'une conversation, lorsque l'interlocuteur parle, l'émotion peut être liée :

- À moi : le lexique corporel de l'autre exprime ce qu'il ressent par rapport à moi, à ce qu'il pense de moi, à la perception qu'il a de moi. Il s'agit d'une attitude spéculaire. Le mot clé est lien.

- Au message : le lexique corporel de l'autre exprime ce qu'il ressent par rapport à ce qui est dit. Cependant, il s'agit ici d'une attitude spéculaire et non spectaculaire. Le mot clé est congruence.

- À quelque chose en mémoire : le lexique corporel de l'autre exprime ce qu'il ressent par rapport à un souvenir, à ce que la situation évoque. L'autre n'est plus avec vous mais bien dans sa tête. C'est la réalité la plus difficile à interpréter en synergologie. Par exemple, il est ardu de savoir si la démangeaison est liée à la conversation ou au souvenir. Le clignement des paupières permet de savoir si la personne vous écoute encore, car si elle est dans son monde, le clignement cesse ou diminue de façon très marquée. Il s'agit d'une attitude spéculative. Le mot clé est absence.

- Au mime : le lexique corporel de l'autre indique qu'il cherche à adopter l'attitude la plus juste. Il peut douter de lui et mimer un comportement pour correspondre à vos attentes, à l'image qu'il veut projeter, à ce qui est souhaité, etc. Il s'agit d'une attitude spectaculaire. Le mot clé est reflet.

- Au masque : le lexique corporel de l'autre correspond à une attitude de non-dit, de spectaculaire. Il masque ses émotions, pensées et intentions réelles. Le mot clé est non-dit.

Ces informations sont primordiales pour le formateur. Bien souvent, des gens me rapportent que leur entourage leur mentionne qu'ils ont l'air fâché, de mauvaise humeur, tristes ou insécures et ils se demandent pourquoi. Quand je prends le temps de discuter avec eux, ils réalisent qu'ils étaient en train de penser à autre chose, de se remémorer un souvenir ou de se créer un scénario, de s'inventer une scène qui n'a jamais eu lieu. Or, leur corps réagit à ce film intérieur, à ce discours intime. Les émotions ressenties sont bien réelles… même si le contexte est imaginaire !

■ Anecdote 30

Alors que je donnais une formation sur le harcèlement psychologique, j'ai pu constater différentes réactions des participants. Devant moi, dans la première rangée, le visage d'une femme est d'abord devenu écarlate, puis complètement livide en l'espace de quelques minutes seulement. Ses yeux se sont embués et sa déglutition a été si pénible que j'ai cru qu'elle allait s'étouffer avec sa salive. Derrière elle, deux rangées plus loin, une autre participante était tout sourire et riait de mes anecdotes pendant que son collègue avait la mâchoire ouverte, les sourcils remontés et les yeux très agrandis. La première revivait un souvenir vécu et récent de harcèlement. La seconde se remémorait une situation où elle aurait aimé savoir quoi dire et mes répliques lui avaient beaucoup plu alors que le troisième venait de comprendre qu'il avait lui-même un comportement de harceleur. Trois réactions, trois attitudes, trois interprétations fort différentes !

C. Émotions

En 1862, Duchenne de Boulogne, pionnier de l'étude des expressions faciales, a publié un livre qui présentait l'impact d'une anesthésie du visage chez un patient qui se retrouvait donc avec un déficit d'expression faciale. Ces travaux influenceront grandement Darwin qui publiera sur le sujet dix ans plus tard.

Les émotions et leurs manifestations sur notre corps sont donc étudiées depuis fort longtemps. Pour Paul Ekman, il existe six émotions primaires : la peur, la colère, le dégoût, la tristesse, la joie, la surprise[157]. Plutchik en identifie huit : acceptation, colère, anticipation, dégoût, joie, peur, tristesse et surprise[158]. L'expression de ces émotions primaires représente un moyen de communication avec l'autre.

Philippe Turchet part du principe qu'il y a deux émotions de base : la peur et l'amour. Tel que je l'ai mentionné précédemment, l'expression d'une émotion et des états corporels est universelle. Elle n'est tributaire ni de la culture, ni de l'origine ethnique, ni de l'éducation. Le sourire, le froncement de sourcils, le blanchiment des lèvres ou la démangeaison du mollet ont la même signification, peu importe où l'on se trouve dans le monde.

Bien que les émotions soient universelles, la reconnaissance de celles-ci, cependant, ne l'est manifestement pas. En effet, notre intuition nous trompe bien des fois et nous sommes éduqués, avouons-le, à camoufler, omettre, modifier nos émotions selon les exigences parentales, sociétales, scolaires, professionnelles, etc. Par exemple, faire semblant d'être content de voir tantine qui nous pince les joues, se forcer à faire la bise aux invités même si nous ne sommes pas à l'aise avec eux, dire à un camarade de classe qu'on lui pardonne la bousculade alors qu'il nous terrorise et que l'on sait qu'il va recommencer dès que le professeur aura le dos tourné. Il en résulte une déformation des messages évidents et donc de l'interprétation qu'en fait notre interlocuteur.

Notre héritage et notre vécu vont influencer l'amplitude de la réaction, la verbalisation des sentiments, l'utilisation de mécanismes de défense, etc. D'ailleurs, une recherche[159] a mis en lumière les cultures à haut contact (Grèce, Italie) et bas contact (Suisse, Écosse). La différence culturelle se situe donc bien dans l'ampleur des gestes. Notre personnalité nous distingue. La peur, elle, demeure la peur et ses signes sont identiques au Québec, au Népal ou en Espagne.

Comme l'explique le site Internet «Les secrets du corps humain»[160], les émotions déclenchent des réactions : mimiques, rougeur, pâleur, rire, larmes, dilatation ou resserrement des pupilles, salivation ou desséchement de la bouche, modification de la voix, attitude de combat, de fuite, de soumission, redressement des poils, modification des rythmes respiratoire et cardiaque. Selon les auteurs de ce site, les réactions corporelles sont les suivantes[161] :

La peur met le corps en alerte, prêt à fuir. Les sourcils remontent, les paupières supérieures relèvent et laissent voir le blanc des yeux. Le front se plisse, la bouche s'ouvre. La sueur apparait sur le front ou les mains. Le rythme cardiaque et la respiration s'accélèrent, le corps s'immobilise, la tonicité musculaire augmente, la bouche est sèche, la peau pâlit, car le sang qu'elle contient est détourné vers les muscles.

La colère met le corps en état d'agression. Le centre des sourcils est tiré vers le bas, provoquant des rides verticales au-dessus du nez, les yeux sont mi-clos, le visage devient rouge. La bouche reste fermée ou entrouverte, mais les lèvres retroussées découvrent les dents de la mâchoire supérieure comme un animal prêt à mordre. Le cœur et la respiration s'accélèrent, le corps, ramassé sur lui-même par des muscles tendus, semble prêt à bondir.

Le dégoût s'exprime par des yeux fermés, les sourcils tombants, de gros plis sur le front et au dessus du nez, des pommettes et des joues bombées. Les lèvres pincées peuvent laisser sortir le bout de la langue. La paume des mains se tourne vers l'avant, comme pour repousser un objet. Une sensation de nausée est possible.

La tristesse se voit par les paupières baissées, les yeux rougis qui brillent ou larmoient. Seule l'extrémité interne des sourcils se soulève, alors que les coins de la bouche pointent vers le bas. Le cœur ralentit, la respiration est ample et lente, entrecoupée de profonds soupirs et de petites inspirations très superficielles. Le corps, plutôt immobile, semble replié sur lui-même, le tonus musculaire est faible.

Un large sourire éclaire le visage de la joie et la lèvre supérieure retroussée découvre les dents du haut, sauf quand le rire ouvre grand la bouche et laisse voir toute la dentition. Les yeux mi-clos sont soulignés par des pattes-d'oie à leur angle externe et des poches sous les paupières inférieures. Les joues sont bombées par la contraction des muscles peauciers. La respiration est lente et ample, entrecoupée de petites pauses, et le rythme cardiaque est souvent accéléré.

La surprise est facilement repérable. Les deux paupières grandes ouvertes laissent voir une large zone du blanc des yeux écarquillés. La bouche est entrouverte par la contraction des joues et le retroussement de la lèvre supérieure, mais l'aspect est plus proche d'un sourire forcé que de l'expression de la peur. Après une brève accélération, le cœur ralentit rapidement alors que la respiration est brièvement bloquée en inspiration.

Évidemment, il s'agit là d'émotions «pures». Dans la vraie vie, la colère camoufle souvent autre chose et c'est la juxtaposition des états qui complexifie la lecture du non-verbal. Il importe donc de garder en mémoire que, lorsque les items ne semblent pas concorder, c'est peut-être parce la personne ressent plusieurs émotions en même temps!

D. Goutte de malaise

Quel concept intéressant et facilement repérable! Christian Martineau[162], synergologue, avait remarqué que, dans les interrogatoires de police, quand un suspect doit répondre à une question incriminante, il a besoin d'un délai pour construire sa réponse mensongère. Inconsciemment, il saisit son verre d'eau et boit. Il achète ainsi du temps, quelques précieuses secondes de pause pour réfléchir à ce qu'il va répondre. Par ailleurs, de cette manière, il détourne le regard. Il se déconnecte de l'autre et revêt une émotion travestie. Or, la sensation de soif est tout à fait réelle et ressentie. L'eau ainsi ingurgitée facilite le passage de la salive. Les synergologues Bruno Blouin et Kathy Gonthier[163] ajoutent que le prévenu en interrogatoire boit parce que ses glandes salivaires ont cessé de fonctionner sous le stress et que sa soif est insatiable. Jean-Claude Martin[164] indique que, comme les glandes salivaires ne fonctionnent plus, la bouche s'assèche très rapidement malgré l'absorption fréquente d'eau. Or, ce phénomène, que l'on appelle la goutte de malaise en synergologie, est très fréquent chez le coupable en interrogatoire au moment de la question clé. Cette réalité s'applique dans d'autres contextes. Cela démontre aussi, comme son nom l'indique, un inconfort lié à ce qui a été dit. Par exemple, observez la réaction des gens qui entendent des propos qu'ils n'apprécient pas. En mode écoute, pour gérer leur malaise, ils vont tendre le bras pour prendre le verre, la tasse ou la bouteille devant eux. Il arrive de plus qu'ils avalent leur salive de travers comme si, pour reprendre l'expression de Christian Martineau[165], une balle de golf tentait de passer dans l'œsophage. Cela survient très souvent quand il y a un mal-être dans la situation vécue et qu'il n'est pas exprimé. Les paroles perçues ne passent tout simplement pas.

Amusez-vous à regarder des émissions de télévision qui reçoivent des invités à qui l'animateur pose une série de questions. Remarquez à quel moment ceux-ci prennent une gorgée d'eau.

■ Anecdote 31

J'étais avec un groupe d'hommes d'affaires lorsqu'une question m'a été posée sur le non-verbal d'un politicien très connu au Québec vu lors d'un reportage. Les gens voulaient savoir s'il disait la vérité ou s'il mentait. Connaissant fort bien les risques de poursuite encourus si je répondais honnêtement, j'ai agrippé rapidement mon verre d'eau. Mon conjoint, présent dans la salle, s'est esclaffé: «Tiens, n'est-ce pas la goutte de malaise?» Il avait tout à fait raison! Pendant que j'avalais ma gorgée, je réfléchissais à une réponse politiquement acceptable et synergologiquement franche!

Or, quand je donne des formations, dès que je pose des questions auxquelles les gens préféreraient ne pas répondre ou qu'ils espèrent que je ne m'adresserai pas directement à eux, ils détournent le regard et attrapent leur verre d'eau telle une bouée de sauvetage.

E. Concrètement, dans la vraie vie

Lorsque l'on donne une formation, on peut être déstabilisé par la réaction des participants. Souvent, j'ai vu des formateurs inquiets du peu de participation de l'assistance alors qu'en fait, les gens étaient tout simplement très attentifs et subjugués par les théories amenées. Si les participants de votre groupe sont en position arrière, ralentissez votre rythme et apportez des exemples concrets pour faciliter la compréhension. S'ils replacent leurs cheveux, les montent en chignon, les peignent, c'est aussi le signe qu'ils recadrent leurs idées. Par contre, si, au moment d'un punch ou d'une affirmation forte, plusieurs se jettent sur leur verre d'eau, pris par une soudaine soif, sachez que vous avez créé un malaise. Rappelez-vous les 5 M. À quoi est due la réaction? À moi, au message, à la mémoire évoquée (souvenir), au besoin de mimer mon non-verbal ou au masque enfilé pour ne pas montrer l'émotion ou la pensée réelle?

Si vous êtes le participant

En tant que participante, il m'est arrivé d'apprécier grandement un formateur, mais de constater qu'il n'était pas dans son assiette et que, contrairement à son habitude, il se laissait ébranler par les questions insistantes d'un participant en mal d'attention. Il peut en être de même pour un formateur moins expérimenté qui, intimidé, bafouille non pas par incompétence, mais en raison d'un manque d'assurance et une gestion du stress inadéquate. Lorsque cela survient, je suis plus attentive au non-verbal et j'interviens lorsque je sens que le questionnement ressemble davantage à une attaque non pertinente visant à gonfler l'ego du participant plus qu'à apporter de nouveaux éclairages au groupe en formation. Inversement, certains conférenciers, pour diverses raisons, exposent des théories dont ils ne maîtrisent pas la profondeur. Il peut s'avérer fort utile pour les participants de s'en rendre compte afin que des ajustements puissent être apportés.

A. Ancrage et recadrage

Dans le chapitre sur les réunions d'équipe, nous avons fait mention des gestes de préhension et, entre autres, des macrofixations, c'est-à-dire des positions d'appui sur une surface solide. Chez le formateur, elles sont observables très souvent en début de formation et dans les moments de moins grande assurance: question difficile ou délicate, fatigue, malaise devant le comportement d'un participant, colère, stress de performance, gêne, peur de ne pas être à la hauteur, intimidation, etc. Le fait de s'appuyer sur le bureau, le dossier du fauteuil, le lutrin, le tableau au mur, etc. représente une posture d'ancrage. Cela permet de se rassurer, de calmer le stress ou le trouble intérieur.

On parle de microfixation quand la main se fige sur le visage, sur le corps ou sur un objet. Cela traduit alors une concentration totale ou un laisser-aller complet. Habituellement, le corps est, lui aussi, totalement immobile.

La microfixation de la main devant la bouche peut en effet signifier une grande concentration, mais peut aussi être une indication que la personne s'empêche de dire ce qu'elle pense, qu'elle retient ses propos. Cela ne signifie pas qu'elle ment, mais qu'elle juge que le moment est inapproprié pour parler ou que son opinion a besoin d'un peu

plus d'enrobage, par exemple. Ce peut être aussi une façon de cacher sa gêne, sa surprise. Pour Ekman et Friesen[166], les gestes autocentrés (microfixations) sur le corps permettent de fixer l'attention de notre interlocuteur.

Les gestes d'ancrage sont fréquents chez les formateurs. En plus des macro et des microfixations, on peut observer d'autres items qui ont une fonction de recadrage, c'est-à-dire qu'ils servent à remettre les idées en place. Pensons au geste d'essuyer la commissure des lèvres avec l'index

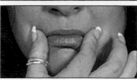

et le pouce en même temps. Le fait de replacer ses vêtements, de repositionner ses cheveux, voire même de les attacher, sont autant d'indications que la personne réaligne ses idées.

■ Anecdote 32

Alors que je donnais une conférence à une centaine de personnes sur la synergologie, l'une des participantes m'a posé une question personnelle portant sur un geste qu'elle faisait elle-même et elle désirait en connaitre la signification. L'item souligné était relativement simple : l'index en microfixation devant la bouche. Elle s'empêchait donc de dire ce qu'elle pensait. Je lui ai posé quelques questions sur l'axe de tête, la position sur la chaise, etc. en me doutant bien qu'elle ne se souviendrait pas de ces détails, mais il me fallait le demander pour lui faire saisir qu'un seul item aussi petit ne donne que peu d'indications. Cependant, dans sa façon de poser la question, d'autres indices corporels sont apparus et m'ont permis de déceler beaucoup de timidité chez elle, une difficulté à s'affirmer et une certaine crainte de la réaction des autres. Cela lui demandait beaucoup de courage pour oser poser la question devant tout le monde même si elle la mijotait dans sa tête depuis plusieurs minutes. Ce qui a été marquant, ce sont mes propres réactions. En effet, je me suis dit que je devais y aller doucement pour ne pas la brusquer et qu'il y avait là une belle opportunité d'intervention de groupe. Mon non-verbal a été tout à fait cohérent avec ma réflexion. Debout, j'ai transféré mon poids sur mon pied droit vers l'arrière (analyse), j'ai essuyé la commissure de mes lèvres (recadrage), j'ai pris appui sur le dossier de la chaise la plus près de moi (ancrage), j'ai replacé mes cheveux (recadrage) pour finalement retransférer mon poids vers l'avant (échange) avec un axe rotatif gauche (être en lien avec elle) et des épaules très détendues (état assertif). Devant tous ces items apparus chez moi, j'ai souri et j'ai pris le temps d'expliquer ce qui venait de se produire dans mon corps pour ensuite offrir une réponse constructive à la participante.

B. Discordance main et tête

«Une personne est un tout. Elle n'utilise pas la main, elle est la main qu'elle utilise. Celle-ci traduit dans l'espace les intentions du cerveau.»[167] Rappelons qu'une grande partie des gestes sont inconscients et le fait d'être gaucher ou droitier ne sert pas de prémisse dans l'interprétation des items puisque le cerveau fonctionne de la même façon, quelle que soit la prépondérance d'utilisation des mains dans les gestes moteurs. La main droite est reliée à l'hémisphère gauche : le discours, l'organisation, le contrôle, la rigueur, le raisonnement, la séquence, les arguments rationnels. La main gauche est gérée par l'hémisphère droit : la spontanéité, les liens, les concepts, la créativité, l'affection. Notons que, si la personne est en forme et parle avec une main gauche très active, cela peut en effet traduire sa spontanéité. Si elle est très fatiguée, sa main gauche indique alors qu'elle est sur le pilote automatique.[168]

Dans la présente image, la main droite est active et la femme regarde son interlocuteur légèrement plus avec son œil droit. La main gauche est inactive. Elle est en position assise avancée avec son poids davantage du côté droit (affirmation, arguments forts, attaque). Les genoux sont peu écartés. Les épaules sont, somme toute, passablement détendues, très avancées vers l'autre. Si la discussion porte sur un thème rationnel, un dossier, un projet à mener, une question à régler, alors le non-verbal est tout à fait cohérent. Par contre, comme l'explique Philippe Turchet durant les cours de synergologie, si le sujet est supposé être agréable et joyeux, tel que l'annonce de son mariage, alors la femme a une très curieuse façon de démontrer son bonheur affectif. Dans le cas présent, le fait d'utiliser la main droite, l'épaule droite avancée et l'œil droit témoigne de l'aspect rationnel de la conversation. Cela n'a rien de péjoratif, au contraire, c'est tout à fait logique ! Bien souvent, les participants dans les conférences de synergologie demandent si quelqu'un qui utilise sa main droite est un menteur. Pas du tout. Ce n'est pas dans cet horizon de sens qu'il faut interpréter les items. Si vous cherchez un menteur, croyez-moi, vous allez en créer un, car vous ne rechercherez que les indices corroborant votre théorie sans voir l'ensemble !

L'image suivante est fort intéressante ! L'homme oriente sa tête en partie vers l'interlocuteur situé à sa gauche et le regarde logiquement avec un axe rotatif gauche (lien). Sa bouche reste entrouverte (désir de parler, intérêt). Cependant, c'est la main droite qui est active et le bras gauche sert de bouclier. Les épaules sont un peu figées. Les commissures des lèvres ne remontent que très peu. Il ne s'agit pas là d'un réel sourire, mais plutôt d'un sourire de courtoisie.

Considérant la dissymétrie entre l'axe de tête rotatif gauche et la position des mains, j'opterais pour un certain malaise ou de la gêne dans la situation. Cela peut être lié au sujet, aux personnes, à un souvenir qui remonte, au contexte, etc.

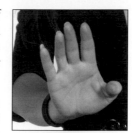

Il arrive que les gens présentent une main de mise à distance (M4), de même qu'un sourcil droit remonté (même signification), mais garde l'œil gauche vers nous avec un beau sourire. Cela l'oblige d'ailleurs à tourner considérablement la tête pour préserver le lien. Si la personne refuse de prendre un autre morceau de votre sucre à la crème mais qu'elle vous apprécie bien, c'est encore une fois très logique.

L'homme nous présente son œil gauche (lien). Les yeux participent peu au sourire et sa main gauche est prise par la droite (gestion de l'émotivité). Les épaules sont figées en raison de la prise des mains. Son poids est transféré sur son pied droit (analyse). La bouche demeure entrouverte. Il aurait des choses à dire. Le pied gauche est vers l'avant. Il est présent dans la conversation, mais le pied est cependant très droit (non ouvert). Il ne se livrera pas facilement. S'il affirme que tout va merveilleusement bien dans le meilleur des mondes, disons qu'il sera important de le mettre en confiance si vous souhaitez qu'il se confie.

C. Microcaresses

Quand on parle de microcaresses dans une conférence, il y a souvent un moment de malaise dans la salle, en raison de l'interprétation du terme. Une microcaresse est un geste doux exécuté sur son propre corps par une main ou un doigt. Elle peut être faite sur le visage, le bras, la cuisse, le bas du dos, le ventre, etc.

Le toucher a une grande importance chez l'humain. Ainsi, le chercheur Nicolas Guéguen[169] a demandé à des médecins qui rencontraient des patients atteints de pharyngite, de toucher l'avant-bras de certains patients au moment du départ et d'autres non. Ceux qui ont bénéficié de ce contact ont davantage respecté la recommandation verbale du médecin sur l'importance de bien suivre le traitement. Ils ont eu aussi la perception des niveaux de compétence et d'implication la plus élevée du professionnel.

La main peut être fusionnelle et peut revêtir plusieurs horizons de sens. Elle peut témoigner d'un désir inconscient de prodiguer cette caresse à l'interlocuteur. Il arrive qu'elle sert d'autogratification et de moyen de réconfort personnel (en situation de stress ou de malaise, par exemple). Elle peut avoir un trait plus narcissique d'autosatisfaction.

Comme le mentionne Philippe Turchet[170], la direction que prend la microcaresse permet de savoir si la personne souhaite se rapprocher de vous (mouvement vers vous) ou si elle aimerait que vous vous rapprochiez d'elle (mouvement vers elle).

Il ne faut pas confondre la microcaresse avec le mouvement appelé «le masque», soit le geste de passer les mains sur l'ensemble de son visage, comme pour se débarrasser des tracas et enlever tout ce qu'il y avait avant. Il crée une sorte d'effet «reset». Il permet de se couper momentanément de la réalité et de repartir à neuf.

■ *Anecdote 33*

Bien souvent, quand je donne du coaching et que j'aborde des sujets plus délicats, je remarque que certains clients «flattent» leurs avant-bras. Le mouvement est lent, appuyé, un peu comme s'ils avaient froid et tentaient de se réchauffer, bien que la pièce offre une température ambiante des plus agréables. Je comprends alors que je dois y aller doucement. Les autres items corporels permettent de mieux saisir si l'émotion qui monte en est une de tristesse, de peur, de mépris, etc.

Ajoutons que des scientifiques de l'Institut technologique de Pasadena, en Californie[171], ont identifié les neurones qui créent la sensation d'être caressé. Leurs terminaisons nerveuses s'étendent sous la peau. Sous-population de neurones appelés fibres de type C, ils réagissent au toucher, au pincement, au tapotement et autres caresses. Les chercheurs ont pu ainsi créer artificiellement une sensation de caresse chez des souris qui, ainsi stimulées, en redemandaient encore.

D. Concrètement, dans la vraie vie

Donner une formation, c'est tout un art. Même pour les habitués, il y a une période de stress observable par les gestes d'ancrage sur la table, le dossier de la chaise, le tableau, le lutrin, le micro. C'est normal. Quand il y a une discordance entre les gestes exécutés par les mains et les axes de tête, c'est donc que quelque chose dérange le formateur. Est-ce le type d'intervention qui vient d'avoir lieu? Est-ce qu'on aborde un sujet qu'il maîtrise moins? Est-ce le souvenir d'une formation antérieure qui ne s'est pas bien déroulée?

Est-ce que le formateur vient de prendre conscience qu'il a oublié un élément? La tête et la main partent dans des directions opposées pour bien des raisons : un sujet qui n'est pas apprécié, le besoin de se dissocier de celui-ci ou du souvenir qu'il évoque, une distinction prononcée entre ce qui fait partie du passé et le présent ou l'avenir, etc. Il devient alors fort instructif d'observer la posture. Est-il en intérêt ou en fuite? Quel est l'axe de tête? En vigilance ou en empathie? Et que font les mains par la suite? Des démangeaisons ou des caresses sur le corps? Les premières témoignent de la discordance entre le discours intérieur et celui exprimé. Les secondes apportent un réconfort et illustrent davantage de bien-être.

Enfin, si le formateur demeure ancré à un meuble, présente des discordances, peut-être est-il intimidé par le groupe. Peut-être vit-il une séparation. Peut-être est-il plus stressé qu'il ne le laisse paraître. Être formateur, ça ne signifie pas que les gens ne ressentent plus les émotions négatives. En tant que participant, si vous souhaitez réellement bénéficier de toute l'expertise du formateur, vous pouvez aussi contribuer à rendre l'activité plus authentique, plus constructive et plus participative.

ET VOS ENFANTS LÀ-DEDANS ?

Être le fils ou la fille d'un synergologue a un impact, c'est certain. Tout d'abord parce que, dans certains cas, des notions leur sont transmises alors qu'ils sont très jeunes. Chez d'autres, cela crée un stress, surtout à l'adolescence, quand ils espèrent préserver leur jardin secret. Explorons la première option. Vous savez que votre enfant a bien compris l'interprétation de certains items quand :

- Il revient de l'école et vous raconte que son camarade de classe a menti, c'est sûr! Et vous avez alors droit à une description complète et détaillée des réactions corporelles observées : œil, sourcil, bouche, posture, etc.

- Son professeur vous informe que, lorsque votre enfant regarde des photos sur les murs à l'intérieur de l'école, il décrit non pas ce que font les amis, mais plutôt la position des sourcils et l'emplacement des mains.

- Quand un camarade se plaint de ne pas avoir été cru par une éducatrice, votre enfant vous l'amène en disant qu'à vous, il peut tout dire, que vous allez voir la vraie vérité.

- Vous arrivez à l'école et votre enfant vous demande à brûle-pourpoint ce que signifie le haussement du sourcil droit. Une fois la réponse obtenue, il court vers ses amis et revient fièrement, heureux d'avoir enfin compris la réaction du professeur.

On sourit!

Intimidés, intimidants (cerveau)

Des psychologues de l'Université de Chicago ont effectué une étude avec 20 adolescents de 16 à 18 ans. Dix d'entre eux n'avaient jamais eu de comportements violents et les autres étaient des tyrans reconnus. Des scènes de souffrance bénigne (par exemple, s'échapper un marteau sur un pied) leur ont été présentées sur vidéo, de même que des scènes d'assauts physiques violents. Grâce à un appareil d'imagerie mentale, les chercheurs ont pu observer l'activité cérébrale durant l'expérience.

Durant le visionnement, les zones du plaisir et de la récompense s'activaient chez les violents. Les chercheurs s'attendaient plutôt, en raison de leurs antécédents, à de l'insensibilité face à la souffrance des victimes. Chez les gens qui n'avaient jamais été violents, le visionnement activait les zones de la douleur, signe de l'empathie. Les auteurs de la recherche croient que les zones du cerveau provoquant de façon naturelle l'empathie seraient déficientes chez les intimidateurs.

Source : Binh An Vu Van, revue *L'actualité*, janvier 2009, p. 59.

L'actualité

Chapitre 10
Rappels importants

« On trouve plus de certitude sur un visage que dans les paroles. »
– Massa Makan

Qu'est-ce qui distingue la synergologie des autres méthodes ensei-gnées ? Tout d'abord, une notion de biologie de base : l'importance de l'hémisphéricité ! En effet, bien des recherches ont été menées dans les années '70 alors que l'on ne connaissait pas encore les différences entre dans les rôles des deux hémisphères cérébraux. Plusieurs chercheurs, dont Paul Ekman, ont donc bâti leur concept initial sans différenciation entre les côtés gauche et droit du corps. La synergologie a très rapidement intégré ce principe neurobiologique, bien connu et documenté aujourd'hui, selon lequel l'hémisphère gauche gère le côté droit du corps et l'hémisphère droit s'occupe du côté gauche du corps.

Par ailleurs, le champ d'intervention des synergologues est définitivement le fonctionnement de l'esprit humain à partir de son langage corporel. Cela est très différent des psychologues, par exemple, dont le domaine d'inter-vention est la psyché. Contrairement à la PNL (programmation neurolinguis-tique), le synergologue ne cherche pas à modifier le comportement de l'autre ni à rechercher un effet d'autohypnose, mais plutôt à mieux comprendre l'interlocuteur, à favoriser l'authenticité de chacun dans la communication, y compris, et surtout, la sienne.

Il s'agit d'une discipline et non d'une technique. La scientificité de la synergologie est décelable à la façon dont l'information non verbale est découpée par les propositions émises et par le mode de validation[172]. En d'autres mots, pour être reconnue comme une science, elle doit être réfu-table. La synergologie émet des hypothèses et des concepts suffisamment clairs pour établir des discriminations et permettre de déceler des contraires. En effet, il importe d'éviter les absolus. La synergologie étudie le lexique corporel, pose des questions, cherche des éléments de réponse et, comme toute science, ne tient rien pour acquis. Elle est «testable», vérifiable, réfutable. Elle peut être mise à l'épreuve (et elle l'est). On peut, en effet, montrer sur vidéo les items décelés et le moment où ceux-ci apparaissent. On peut faire prendre conscience à quelqu'un des gestes qu'il fait, de la posture qu'il prend et dresser avec lui la liste des éléments qui permettent de cerner son état corporel.

Évidemment, il est relativement aisé pour un néophyte de prendre des vidéos, de les visionner au ralenti, de détecter les microexpressions sur des visages et de découper les images pour les montrer aux autres. Un expert voit ces microexpressions en direct, dans la vraie vie, «live», de même que tout un ensemble d'items en même temps.

La synergologie analyse le non-verbal selon trois angles : les affects, la relation et les échanges. Elle fait une distinction entre la communication non verbale (systémique) et le langage non verbal (analytique). Elle découpe l'information selon des concepts de base :

- Ouverture versus fermeture

- Hypertonie et hypotonie

- Émotions positives et négatives

- Corps divisé en huit segments

- Trois axes de tête

- Pronation et supination des mains et des pieds

- Quatre modes de gestes

- Configuration des poignets et des mains

- Différenciation de la gauche et de la droite

- Microréactions du visage

- Trois catégories de gestes d'autocontact

- Mouvements des yeux et quadrants du regard

- Découpage du corps et des membres en 4 faces selon la façon d'aborder l'environnement

- Quatre faces d'analyse des mains dont chaque doigt a sa logique significative

- Prise en compte de l'environnement à travers l'utilisation des objets

L'information est découpée rigoureusement. L'addition puis la conjugaison des items corporels parcellaires convergents selon la méthode des Assattes permet une interprétation de l'état de la personne. Un synergologue distingue entre 15 et 25 items différents en un seul regard.

ET LA SÉRÉNITÉ DANS TOUT ÇA ?

Bien souvent, les gens demandent comment un synergologue peut encore avoir un conjoint et des amis. Mais surtout, ils demandent comment il peut supporter de voir les mensonges, les dépendances, les abus sexuels, les dépressions, les manipulations, le mépris, la laideur chez certains. Or, la synergologie ne fait que fournir des données précises sur des impressions. Elle clarifie les mauvais «feelings» du début, elle apporte un éclairage honnête sur des situations douteuses. Elle permet de se dire qu'on n'est pas fou, que ça ne se passe pas seulement dans notre tête, que le non-dit, le camouflage ou l'enrobage sont réels. Alors, inévitablement,

- On choisit mieux ses amis.

- On consolide sa relation ou on la change totalement.

- On arrête d'accumuler les frustrations, on gère mieux ses émotions ou on va chercher de l'aide pour le faire.

- On affirme enfin tout haut ce que notre corps ressent et tente de nous faire comprendre.

- On arrête d'imaginer des scénarios d'interprétation du comportement des autres puisqu'on est mieux outillé pour comprendre.

- On s'accueille soi-même, on apprivoise ses zones d'ombre, on devient plus authentique envers soi-même.

On respire enfin !

Les expressions faciales de l'orgasme

Fernandez-Dols, Carrera et Crivelli ont réalisé une étude sur les expressions faciales produites pendant une excitation sexuelle. Les chercheurs ont utilisé le Facial Action Coding System pour coder l'activité des muscles faciaux des volontaires. Pendant la phase d'excitation, 83 % des participants ferment les yeux, plus de 60 % contractent les sourcils, 80 % ouvrent la bouche. 35 % des sujets présentent simultanément ces trois items. Pendant l'orgasme, les participants froncent moins les sourcils et ouvrent moins la bouche. 92 % des volontaires ferment les yeux. 35 % combinent la fermeture des yeux et l'ouverture de la bouche. Après l'orgasme, ils ouvrent les yeux et regardent autour d'eux. La contraction des sourcils disparait et de nombreux vrais sourires apparaissent. 20 % ont des visages neutres. Les expressions faciales émises s'approchent de l'expression de la douleur. Les auteurs proposent deux explications pouvant expliquer cette observation. Tout d'abord, les circuits neurologiques du plaisir sont proches des circuits de la douleur. Puis, les sensations physiques ressenties lors de l'excitation sexuelle sont très intenses, ce qui produirait une forte contraction musculaire et une expression de douleur en quelque sorte par défaut.

Source : www.la-communication-non-verbale.com/2011/07/sexe-orgasme-expression-faciale.html et Fernandez-Dolz, Carrera & Crivelli. (2011). Facial behavior while experiencing sexual excitement. Journal of nonverbal behavior. 35 :63-71.

Chapitre 11
Conclusion

« J'écoute mon corps, il me parle sans répit. » – Louis Scutenaire

Le professeur de neurosciences Antonio Damasio rapporte le cas de «Monsieur Elliot», un homme venu le consulter à la suite de l'ablation d'une tumeur des méninges qui touchait les lobes préfontaux ventromédians avec une prépondérance des lésions du côté droit[173]. Avant la chirurgie, il était considéré comme un employé exemplaire et un bon père de famille, mais après l'opération, son tempérament a changé. Il s'est avéré incapable d'effectuer son travail, a perdu son emploi, a divorcé, s'est remarié, a divorcé à nouveau, a fait des investissements hasardeux, a fait faillite. Il avait perdu le sens des responsabilités, de la planification de son temps et de ses actions.

Les tests ont démontré qu'il avait conservé ses capacités cognitives : intelligence, mémoire, production et compréhension du langage, aptitude à se situer dans l'espace, etc. Mais un élément ne concordait pas. Il ne parvenait plus à ressentir les émotions secondaires et à s'adapter aux modifications physiologiques. Il réagissait normalement en ce qui concernait la peur et la colère, mais il ne parvenait pas à les ressentir et à les intégrer dans sa prise de décision. Il lui était donc difficile d'évaluer les risques. Un sujet normal prend une décision non seulement en fonction de la logique, mais aussi selon le poids affectif des options. Damasio émit donc une hypothèse : «La capacité d'exprimer et ressentir des émotions est indispensable à la mise en œuvre d'un comportement rationnel.»[174] En d'autres termes, n'en déplaise à certains, «être rationnel, ce n'est pas se couper de ses émotions»[175] Bien au contraire, elles sont nécessaires à un équilibre de vie ! Or, une émotion, une pulsion, une pensée subreptice influencent le corps.

«Une émotion qui ne se voit pas n'existe pas.»[176] Quand nous ne sommes pas en accord, même si on ne le sait pas encore, le corps, lui, a déjà réagi. Le langage corporel existe avant les mots.

S'il y a un élément à retenir du présent livre, c'est l'importance de l'authenticité et de l'assertivité. Être assertif, c'est s'exprimer, affirmer ses limites, savoir dire non dans le respect de la différence et de la limite de l'autre. Être authentique, c'est être honnête et sincère envers soi-même et envers les autres.

Il ne sert à rien de vouloir «contrôler» votre non-verbal. Vous n'êtes conscient que d'une infime partie de lui et vous ne pouvez mouvoir volontairement certains muscles sans la participation de l'émotion réellement ressentie. Par ailleurs, si vous souhaitez «utiliser» la synergologie pour repérer les menteurs, croyez-moi, vous allez en trouver partout! Pourquoi? Parce que vous ne verrez que les «signes» qui coïncident avec votre théorie mais pas le reste. Et aussi parce que nous avons tous, à un moment ou à un autre, enrobé, omis, camouflé, modifié une réalité pour ne pas blesser, pour mieux paraitre, pour faire plaisir, etc. C'est ce que Philippe Turchet appelle les non-dits. Ils font partie de nos mécanismes de défense, de nos *patterns* comportementaux, de notre éducation même, dans certains cas.

Que faire alors? Tout simplement être soi-même, accepter et accueillir ses émotions telles qu'elles sont en soi! La synergologue européenne Martine Herrmann[177] avait observé que les gens non assertifs dans leurs communications présentent plusieurs items d'inconfort, de malaise, d'hésitation, alors que les gens assertifs sont authentiques et que leur non-verbal est cohérent.

Soyez donc vous-même… Namaste!

LE SAVIEZ-VOUS ?

Connaissez-vous bien votre cerveau ?

Selon le Centre de recherche Fernand-Séguin de l'Hôpital Louis-H. Lafontaine et l'Université McGill, notre cerveau présente les caractéristiques suivantes :

- Le cerveau utilise 20 % de l'oxygène que nous respirons, bien qu'il ne représente que 2 % du poids total du corps.

- Le cerveau humain est constitué d'environ 75 % d'eau !

- Le cerveau adulte compte environ 100 milliards de neurones. Si nous les alignons, nous pourrions faire le tour de l'île de Montréal.

- Le cerveau travaille continuellement, y compris durant le sommeil.

- Les messages peuvent circuler le long des neurones à une vitesse de 360 km/h.

- Les neurones du fœtus se multiplient au rythme de 250 000 à la minute au début de la grossesse.

- Le cerveau génère 25 watts d'énergie à l'état de veille – assez pour allumer une ampoule électrique.

Source : Université McGill, le cerveau à tous les niveaux.

Autre publication de l'auteure chez Béliveau éditeur:

■ Notes

1   Définition mentionnée sur le site Internet www.synergologie.org.

Chapitre 1

2   Informations disponibles sur le site Internet www.synergologie.org.

3   Cook, M. et Smith, J.M.C. «The role of gaze in impression formation», *British Society, Clinical psychology*, 14, 1975, pp.19-25.

4   André, Christophe. *Imparfaits, libres et heureux, pratiques de l'estime de soi.* Éditions Odile Jacob, 2009.

Chapitre 2

5   Mehrabian, Albert. http://fr.wikipedia.org/wiki/Albert_Mehrabian.

6   Rosenthal, Robert. *The PONS test: Measuring Sensitivity to Nonverbal Cues, Advances in Psychology Assessment.* P. MacReynolds, San Francisco, Jossey-Bass, 1977.

7   Scherer, K.R. et Wallbott, H.G. «Evidence for universality and cultural variation of differential émotion response patterning», *Jounal of personality and Social psychology*, 1994, 66, pp. 310-328.

8   Turchet, Philippe. www.synergologie.org/regards-croises/ouvrages-interessants-sur-la-communication-non-verbale.

9   Darwin, Charles. *The expression of the Emotions in Man and Animals.* Éd. John Murray, Londres, 1872.

10   Turchet, Philippe. www.synergologie.org/regards-croises/ouvrages-interessants-sur-la-communication-non-verbale

11   Tomas, Frédéric. Les gestes nous aident à mieux communiquer, www.la-communication-non-verbale.com/2013/03/les-gestes-aident-mieux-communiquer.html, Mars 2013.

12   Auvrouin, Émilie. «Le langage universel des émotions», *Pour la science*, février 2010.

13   Feyereisen, Pierre. *Le cerveau et la communication.* Coll Psychologie d'aujourd'hui, P.U.F. 1994, 213 pages.

14   Mc Neill, D. «So you think gestures are nonverbal?», *Psychological review*, 92, 1986, pp. 350-371.

15   Peucheret, Frédéric. http://www.fredericpeucheret.com.

16   Turchet, Philippe. *Le langage universel du corps.* Les éditions de l'Homme, 2009.

17   Ekman, Paul. *Je sais que vous mentez!.* Les éditions Michel Lafon, 2010, 350 p.

18   Gagnon, Christine et Martineau, Christian. *Voir mentir, un guide pratique répertoriant des outils importants sur la détection du mensonge.* La société scientifique parallèle inc. 2009.

19   Ekman, Paul. *Je sais que vous mentez!.* Éditions Michel Lafon, 2010, 350 p.

20   http://www.cwnetwork.tv/sujet/la-synergologie-au-service-de-l-entreprise/291/sort/d/page/0.

Chapitre 3

21   Turchet, Philippe. www.synergologie.org.

22   Ekman, Paul. Je sais que vous mentez!. Éditions Michel Lafon, 2010, 350 pages.

23   Turchet, Philippe. www.synergologie.org.

24 Tortora, G. J. ; Grabowski, S. R. ; Parent, J. *Principes d'anatomie et de physiologie.* Édition du Renouveau pédagogique, 1994, 1203 pages.

25 Ziane, Rachid. «Sport, santé et préparation physique», La Revue, n° 24, Juin 2009.

26 Reich, Wilheim. *L'analyse caractérielle.* Payot, 1972, www.synergologie.org/regards-croises/ouvrages-interessants-sur-la-communication-non-verbale.

27 Vauclair Jacques. «Porter son bébé à gauche?» Cerveau et Psycho, 4, 2003, pp 24-25.

28 Idem.

29 Idem.

30 Sieratski, J.B. et Woll, B. *Why do mothers cradle babies on their left?.* The Lancet vol. 347. p. 1746, 1996.

31 Buser, Pierre. *Cerveau de soi, cerveau de l'autre.* Éd. Odile Jacob, 1998, 432 pages. p. 291.

32 Millette, Annick et Pilon, Sylvie. *Le mouvement lorsqu'il n'y en a plus...* Rapport de synergologie, 2013, 32 pages.

33 http://lecerveau.mcgill.ca/flash/i/i_06/i_06_cr/i_06_cr_mou/i_06_cr_mou.html.

34 Millette, Annick et Pilon, Sylvie. *Le mouvement lorsqu'il n'y en a plus...* Rapport de synergologie, 2013, 32 pages.

35 Millette, Annick et Pilon, Sylvie. *Le mouvement lorsqu'il n'y en a plus...* Rapport de synergologie, 2013, 32 pages.
    Source : Millette, Annick et Pilon, Sylvie. *Le mouvement lorsqu'il n'y en a plus...,* Rapport de synergologie, 2013, 32 pages.

36 Turchet, Philippe. *Syllabus de synergologie,* septembre 2006.

Chapitre 4

37 Tadduni, Julie. www.courriercadres.com, Avril 2013, faisant référence à l'enquête du recruteur OfficeTeam.

38 Frey, Siegfried ; Hirsbrunner, Hans-Peter ; Florin, Anne-Marie. Daw Walid et Crawfod. «Analyse intégrée du comportement non verbal et verbal dans le domaine de la Communication», *La Communication non verbale* de J. Cosnier et A. Brossard, Delachaux et Niestlé,1992, Neuchâtel , 244 pages.

39 Guéguen, Nicolas. «La démarche révèle-t-elle le caractère?», Cerveau & Psycho, n° 45, mai - juin 2011.

40 Idem.

41 Wheeler, Sarah ; Book, Angela ; Costello, Kimberly. «Psychopathic Traits and Perceptions of Victim Vulnerability», *Criminal Justice and Behavior,* June 2009, vol. 36 no. 6, 635-648.

42 Guéguen, Nicolas. «La démarche révèle-t-elle le caractère?», *Cerveau & Psycho,* n° 45 mai - juin 2011.

43 Idem.

44 Idem.

45 Idem.

46 P. Morris, J. White, E. Morrison, K. Fisher. «High heels as supernormal stimuli : How wearing high heels affects judgements of female attractiveness». *Evolution and Human Behavior,* 2013.

47 Martineau, Christian et Gagnon, Christine. *Voir mentir, un guide pratique répertoriant des outils importants sur la détection du mensonge.* La société scientifique parallèle inc., 2009.

48 Notes de cours de synergologie, Turchet, Philippe, 2008.

49 Millette, Annick, Pilon, Sylvie, *Le mouvement lorsqu'il n'y en a plus...* Rapport de synergologie, 2013, 32 pages.

50 Les gens de cette culture écrivent de droite à gauche, ce qui influence la latéralité spatiale du passé et du futur.

51 Ekman, Paul. *Je sais que vous mentez!*. Éditions Michel Lafon, 2010, 350 pages.

52 http://fr.wikipedia.org/wiki/Nictation.

53 http://globometer.com/corps-clignement.php.

54 Ferard, Émeline. *MaxiSciences*. www.maxisciences.com, janvier 2013.

55 Idem.

56 Voir divers articles sur le site www.synergologie.org dont celui-ci : http://blog.synergologie.org/2011/09/dsk-que-revele-son-non-verbal.html.

57 Martineau-Lavallée, Dany. *Quelles adaptations subit un individu lorsqu'il remet en cause son authenticité?*. Rapport de synergologie, 2012, 63 pages.

58 Hess, E.H. « Attitude and pupill size », *Scientific American*, 1965, 212, pp.46-54.

59 Le plus bel exemple à ce sujet fut l'émission « On prend toujours un train » avec Josélito Michaud. La fenêtre, les paysages et le mouvement du train rendaient l'analyse synergologique très hasardeuse.

60 Gagnon, Christine et Martineau. Christian. *Voir mentir, un guide pratique répertoriant des outils importants sur la détection du mensonge*. La Société scientifique parallèle inc., 2009, 141 pages.

61 Turchet, Philippe. www. synergologie.org.

62 Ekman, Paul. *Je sais que vous mentez!*. Les éditions Michel Lafond, 2010, 350 p.

63 Damasio, Antonio R. *L'erreur de Descartes*. Éd. Odile Jacod, 1995, 396 p.

64 Borod, J.C. « Interhemisphéric and intrahémispheric control of emotion : a focus on unilateral brain damage », *Journal of Consulting and Clinical psychology*, 60, 1992.

65 Davidson, Richard ; Ekman, Paul ; Senulius, S. ; Friesen, W. « Emotional Expression and brain physiology I : Approach /withdrawal and cerebral Asymetry », *Journal of personality and Social psychology*, P. 58. 1990.

66 Idem.

67 http://content.yudu.com/Library/A17lm3/HowtoReadaPersonLike/resources/14.htm.

68 Grant, Ewan C. *Human facial expression*. Royal Anthropological Institute of Great Britain and Ireland, New Series, vol. 4, nu. 4, Déc., 1969.

69 Cerveau & Psycho, octobre 2012 : www.cerveauetpsycho.fr/ewb_pages/a/actualite-sourire-signe-de-soumission-30357.php.

70 Jaffe, Eric. « The Psychological Study of Smiling », (article sur l'étude : The Influence of Manipulated Positive Facial Expression on the Stress Response, is published in the journal Psychological Science) *Observer*, Association for psychological science, vol.23, no.10 december, 2010.

71 Mikulak, Anna. « Seeing Happiness in Ambiguous Facial Expressions Reduces Aggressive Behavior », *Press Release*, Association for Psychological Science, mars 2013.

72 Ferard, Émeline. « Rendre un sourire : une affaire de statut social », *MaxiSciences*, octobre 2012.

73 Marchand, Rénald. *Le stylo en synergologie*. Rapport de synergologie, 2009.

74 Martineau, Christian. *Les gestes de préhension, version corrigée*. Rapport de synergologie, 2009.

75 Idem.

Chapitre 5

76 Principe de raisonnement philosophique basé sur la simplicité.

77 Sun, Laurent. vidéo de présentation de son rapport de synergologie, 2012.

78 Kimura, D. et Humphrys, C.A. «A comparison of left and right arm movement during speaking», *Neuropsychologia*, 19, 1981, pp.807-812.

79 www.synergologie.org/regards-croises/ouvrages-interessants-sur-la-communication-non-verbale.

80 Mehrabian, Albert. *Nonverbal communication*, Chicago, Aldine-Atherton, 1972. www.synergologie.org/regards-croises/ouvrages-interessants-sur-la-communication-non-verbale.

81 Hattfield, E.; Costello, J.; Weisman, M.S.; Denney, C. «The impact of vocal Feedback on emotional experience and expression», *Journal of social behavior and personality*, 10, 1995, 293-312.

82 Gagnon, Christine et Martineau, Christian. *Voir mentir, un guide pratique répertoriant des outils importants sur la détection du mensonge*. La Société scientifique parallèle inc., 2009, 141 pages.

83 Ekman, Paul. et Friesen, W. «Detecting deception fom the body or face», *Journal of personality and Social Psychology*, 29, pp. 288-298.

84 Turchet, Philippe. Notes de cours synergologiques, 2009.

85 Millette, Annick; Pilon, Sylvie. *Le mouvement lorsqu'il n'y en a plus...* Rapport de synergologie, 2013, 32 pages.

86 Borod, Joan C.; Santschi Haywood, Cornelia; Koff, Elissa. «Neuropsychological Aspects of Facial Asymmetry During Emotional Expression», *A Review of the Normal Adult Literature*, vol. 7, no 1, 1997.

87 Skinner, M. et Mullen, B. «Facial asymmetry in emotional expression: A meta-analysis of research». *British Journal of psychology*, 1991, 30, pp. 113-124.

88 Martineau-Lavallée, Dany. *Quelles adaptations subit un individu lorsqu'il remet en cause son authenticité?*. Rapport de synergologie, 2012, 63 pages.

89 http://www.fredericpeucheret.com/blog/asymetrie-faciale-et-morpho-psychologie.html ainsi que notes de cours de synergologie.

90 Idem.

Chapitre 6

91 Gibbs, France. «Le corps assis parle de l'état de nos pensées», *La revue de synergologie*, vol. 1, no 1, 2009.

92 Turchet, Philippe. Notes de cours de synergologie. 2008.

93 Turchet, Philippe. Notes de cours de synergologie. 2008.

94 Gibbs, France. «Le corps assis parle de l'état de nos pensées», *La revue de synergologie*, vol. 1, no 1, 2009.

95 Kraut, E.; Poe, Donald. «The deception judgement of Custom Inspectors and Laymen», *Journal of personnality and social psychology*, 39, 1980, pp. 784-798.

96 Freedman, N. et Steingart. J. «Kinesic intenalization and language construction», *Spence DB: Psychoanalysis and contempory science*, vol. IV, 1975, New York, University Press, pp. 355-403.

97 Martineau, Christian. *Gestes de préhension, version corrigée*. Rapport d'observation et notes de cours de synergologie, 2009.

98 Navarro, Joe. *What every body is saying*. Harper Collins e-books, 2008, p. 226.

99 Lachance, Sylvie. « Le concept de fuite, propositions phénoménologiques », *La revue de synergologie*, vol. 1, no 2, 2010, 344 pages.

100 Turchet, Philippe. *Le langage universel du corps*. Éditions de l'Homme, 2009, 381 pages.

Chapitre 7

101 Cromp, Nancy. *Relation d'aide et figure syntonique*. Rapport de synergologie, 2010, 32 p.

102 Denault, Vincent. *Je n'aime pas, donc je souris*. Rapport de synergologie, octobre 2012.

103 Ekman, Paul. *Je sais que vous mentez!*. Les éditions Michel Lafon, 2010, 350 p.

104 Blais, Paul. *Étude synergologique sur les larmes*. Rapport de synergologie, octobre 2010.

105 Turchet, Philippe. *Le langage universel du corps*. Les éditions de l'Homme, 2009, 361 pages.

106 Bastien, Sylvie. *Étude synergologique sur les clignements de paupières*. Rapport de synergologie, octobre 2009.

107 www.cell.com/current-biology/abstract/S0960-9822(05)00660-3.

108 www.maxisciences.com/oeil/pourquoi-l-039-homme-cligne-t-il-des-yeux-30-000-fois-par-jour_art28168.html.

109 Stem ; Walrath ; Goldstein. « The endogenous eyeblink », Psychophysiology, 1984.

110 Carno, William D. Brewer, Marilynn B. *Principles and methods of social research*, Second edition. Lawrence Publishers Erlbaum Associates Inc., 2002, 222 pages.

111 Bastien, Sylvie. *Étude synergologique sur les clignements de paupières*. Rapport de synergologie, octobre 2009.

112 Garten, S. « Étude sur la durée du clignement des paupières », L'année psychologique, NecPlus, vol. 5, no 5, p.477-491.

113 Bastien, Sylvie. *Étude synergologique sur les clignements de paupières*. Rapport de synergologie, octobre 2009.

114 Idem.

115 LeDoux, Joseph. « Emotional memory system in the brain », Behavioral and brain research 58, 1993.

116 Turchet, Philippe. www.synergologie.org/regards-croises/ouvrages-interessants-sur-la-communication-non-verbale.

117 http://imotionsglobal.com

118 Bastien, Sylvie. *Étude synergologique sur les clignements de paupières*. Rapport de synergologie, octobre 2009.

119 www.clubpoker.net/forum-poker/topic/186360-article-la-nictation-au-poker/.

120 Vaillancourt, Serge. « Les pauses sonores », *La revue de synergologie*, vol. 1, no 2, 2010, 344 pages.

121 Ekman, Paul. *Je sais que vous mentez!*. Les éditions Michel Lafon, 2010, 350 p.

122 Lieberman, David J. *Comment obtenir la vérité en moins de cinq minutes. L'art de déjouer les mensonges et autres manipulations*. Leduc S. Éditions, Paris, 1998, 247 pages.

123 Idem.

124 St-Vincent, Danielle. *Le mouvement ascendant du sourcil gauche et les émotions*, Rapport de synergologie, 2012, 55 pages.

125 Eibl Eibesfeldt, Irenaüss. *L'homme programmé*. Flammarion, 1976, 256 pages.

126 www.synergologie.org/regards-croises/ouvrages-interessants-sur-la-communication-non-verbale.

127 Crigley, Hugo D. ; Dolan, Raymond ; Christophe, J. « Neural activity relating to generation and representation of galvanic skin conductance responses : a functional magnetic resonance imaging study », *Journal of neuroscience* 20, 2000, pp.3030-3040.

128 www.thedailybeast.com/newsweek/2008/01/30/it-feels-good-and-everybody-does-it.html.

129 Raymond, Joan. Newsweek Jan 31, 2008. www.thedailybeast.com/news-week/2008/01/30/it-feels-good-and-everybody-does-it.html.

130 www.docteurjd.com/2009/04/06/demangeaisons-une-piste-nerveuse-a-gratter/.

131 Damasio, Antonio ; Gabowski, Thomas J. ; Bechaa, Antoine ; Damasio, Hanna ; Ponto, Laura L.B. ; Parvisi, Josf ; Richard, D. « Subcortical and cortical brain activity during the feeling of self generated emotions », *Nature Neuroscience*, 3, 2000, pp.1049-1056.

132 Morow, L. ; Urtunski, B. ; Kim, Y. ; Boller, F. « Arousal responses to emotional stimuli and laterality of lesion », *Neuropsychologia*, 1981, 19, 65-71.

133 Ledoux, Joseph. *Le cerveau des émotions.* Éd. Odile Jacob, 2005.

134 Kimura, D. *The neural basis of gesture.* In H. Whitaker et H.A Whitaker : Studies in neurolinguistics. 1976, vol. 2 pp. 145-156.

135 Heilman, K.M. ; Watson, R.T. « Arousal and emotions » in F. Boller et Grafman J., *Handbook of neuropsychology*, 1983, vol. 3 pp 403-417, Amsterdam, Elsevier.

136 Turchet, Philippe. www.synergologie.org/regards-croises/ouvrages-interessants-sur-la-communication-non-verbale.

137 Zoccolotti, P. ; Scabini, D. ; Violani, C. « Electrodermal responses in patients with unilateral brain damage ». *Journal of clinical Neuropsychology*, 4, pp. 143-150.

138 Gagnon, Christine et Martineau, Christian. *Voir mentir, un guide pratique répertoriant des outils importants sur la détection du mensonge.* La Société scientifique parallèle inc., 2009, 141 pages.

139 Montagner, Hubert. *L'enfant et la communication.* Édition Dunod, 1978, 418 pages. www.synergologie.org/regards-croises/ouvrages-interessants-sur-la-communication-non-verbale.

140 Ekman, Paul. et Friesen, W. « Detecting deception fom the body or face », *Journal of personality and Social Psychology*, 29, pp. 288-298.

141 Dimberg, Ulf. « Facial electromyography and emotional reactions ». Psychophysiology, 27, 1990, pp. 481-494.

142 Exline, R.V. « Visual interaction : The glances of power and preference », in J. Cole : Symposium of motivation, 1971, Lincoln, *University of Nebaska Press*, pp. 163-206.

143 Ekman Paul et Friesen W "Nonverbal leakage and cues to deception", *Psychiatry*, 32, 1969, pp. 88-105.

Chapitre 8

144 Coudon, Dr Olivier. *Les rythmes du corps.* Édition du Nil, 1997, 260 pages.

145 Tucker, D.M. et Williamson, P.A. « Asymetric Neural Control Systems in Human Self Regulation », *Psychological review*, 91, pp. 185-215.

146 Flores, Ismael. « De la façon d'enfiler un vêtement à la façon de penser, propositions synergologiques », *La revue de synergologie*, vol. 1, no 1, 2009, pp 143-161.

147 Flores, Ismael. « De la façon d'enfiler un vêtement à la façon de penser, propositions synergologiques », *La revue de synergologie*, vol 1, no 1, 2009, p. 148.

148 Turchet, Philippe. Notes de cours de synergologie, 2008.

149 Martineau, Christian. *Les gestes de préhension, version corrigée*. Rapport de synergologie, 2009.

150 Morow, L. ; Urtunski, B. ; Kim, Y. ; Boller, F. « Arousal responses to emotional stimuli and laterality of lesion », *Neuropsychologia*, 1981, 19, pp. 65-71.

151 Turchet, Philippe. Notes de cours de synergologie, 2012.

Chapitre 9

152 Turchet, Philippe. Notes de cours de synergologie, 2012.

153 Desjardins, Tania. *Principes d'exploration de la main dans les cheveux*. Rapport de synergologie, 2012.

154 Fondateur de la synergologie.

155 Synergologue.

156 Notes de cours de synergologie, formation continue, décembre 2012.

157 Belzung, Catherine. *Biologie des émotions*. Éditions de Boeck, 2010, 480 pages.

158 Idem.

159 Tubbs, S.L. ; Moss, S. « The non verbal message in human communication », Mc Graw Hill 1994, Singapour, mentionné dans *Journal of Academic and Applied Studies*, vol. 1 (1), June 2011, pp. 3-21.

160 www.lecorpshumain.fr/corpshumain/3-emotions.html.

161 Idem.

162 Gagnon, Christine et Martineau, Christian. *Voir mentir, un guide pratique répertoriant des outils importants sur la détection du mensonge*. La Société scientifique parallèle inc., 2009, 141 pages.

163 Blouin, Bruno et Gonthier, Kathy. *Les réactions non verbales d'un individu face à la question clé*. Rapport de synergologie, 2010.

164 Martin, Jean-Claude. *Le guide de la communication*. Éditions Marabout, 1999, 350 pages.

165 Martineau, Christian. *Les gestes de préhension, version corrigée*. Rapport de synergologie, 2009.

166 Ekman, P. et Friesen, W. « Hand movements », *Journal of Communication*, 22, pp. 353-374.

167 Turchet, Philippe. *Le langage universel du corps*. Éditions de l'Homme, 2009, 366 pages.

168 Turchet, Philippe. *Le langage universel du corps*. Éditions de l'Homme, 2009, p. 259.

169 Guéguen, Nicolas ; Meineri, Sébastien ; Charles-Sire, Virginie. « Improving medication adherence by using practitionner nonverbal techniques : a field experiment on the effect of touch », *Journal of Behavioral Medicine*, 2010, 33, pp. 466-473

170 Turchet, Philippe. *Les codes inconscients de la séduction*. Éditions de l'Homme, 2004, p. 143.

171 Vrontoui, S. et al. « Genetic identification of C fibres that detect massage-like stroking of hairy skin *in vivo* », Nature, vol. 493, pp. 669–673, 31 janvier 2013.

Chapitre 10

172 Turchet, Philippe. www.synergologie.org, la synergologie, discipline scientifique.

Chapitre 11

173 Belzung, Catherine. *Biologie des émotions*. Éditions de Boeck, 2007, p. 106.

174 Pascal, Emmanuel. *Les trois émotions qui guérissent*. Thierry Souccar Éditions, 2011, p. 15.

175 Damasio, Antonio R. *L'erreur de Descartes*. Odile Jacob, 2002.

176 Turchet, Philippe. Notes de cours, mars 2013.

177 Herrmann, Martine. *L'assertivité*. Rapport de synergologie, 2009.